문장 쓰기가 쉬워지는 초등 영문법

Grammar
CLEAR Starter 2

문장 쓰기가 쉬워지는 Grammar CLEAR Starter

- 처음 배우는 문법을 잘 이해할 수 있도록 쉽고 간결하게 설명했어요.
- 4단계 문장 트레이닝으로 문장 쓰기가 쉬워져요.
- 수행평가와 서술형 유형까지 대비할 수 있어요.
- 워크북으로 혼자서도 복습이 가능해요.

학습자의 마음을 읽는 동아영어콘텐츠연구팀

동아영어콘텐츠연구팀은 동아출판의 영어 개발 연구원, 현장 선생님,
그리고 전문 원고 집필자들이 공동연구를 통해 최적의 콘텐츠를 개발하는 연구조직입니다.

원고 개발에 참여하신 분들

강남숙 홍미정 홍석현

교재 기획에 도움을 주신 분들

강선이 김선희 김효성 박지현 이지혜 정나래 조수진 한지영

Grammar
CLEAR Starter 2

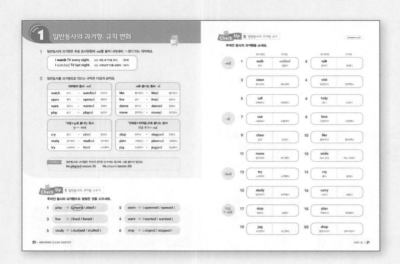

Point & Check Up

• Point

문법 개념을 하나씩 쪼개 핵심 포인트를 쉽고 간단하게 설명합니다.

• Check Up

문법 개념을 잘 이해했는지 바로 확인해 보며 문장 쓰기로 들어가기 전 기초를 다집니다.

난이도별로 구성된 체계적인 4단계 문장 연습을 통해 문법을 활용한 문장 쓰기가 쉬워집니다.

TRAINING 1

두 문장의 의미나 형태를 비교해 보면서 핵심이 되는 문법 개념을 쉽게 이해할 수 있습니다.

TRAINING 2

그림이나 사진을 보면서 학습한 문법 개념을 적용하여 문장을 완성해 봅니다.

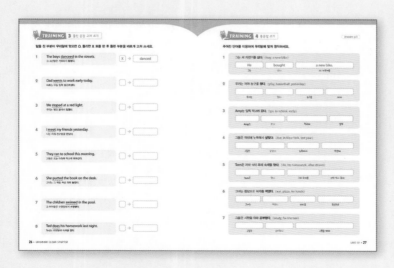

TRAINING 3

틀린 부분을 고쳐 쓰거나 문장을 바꿔 쓰면서 문장을 정확하게 쓰는 훈련을 합니다.

TRAINING 4

통문장을 써 보는 단계로, 영어 어순대로 우리말이 제시되어 있어 쉽게 문장 쓰기를 연습할 수 있습니다.

이 책은 이렇게 구성되어 있어요!

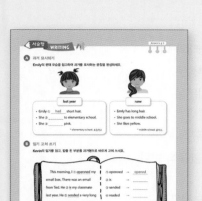

서술형 WRITING

학습한 문법 개념을 적용하여 다양한 유형의
서술형 문제들을 풀어 봅니다.
짧은 글 완성하기, 그림 묘사하기, 도표 보고
답하기 등의 유형을 통해 학교 시험 및 수행평가에
대비할 수 있습니다.

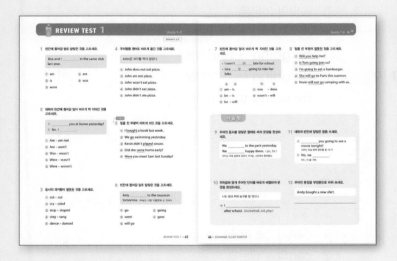

REVIEW TEST

연관된 3-5개의 Unit을 학습한 후 객관식과
서술형으로 구성된 학교 시험 유형의 문제를
풀며 배운 내용을 총정리할 수 있습니다.

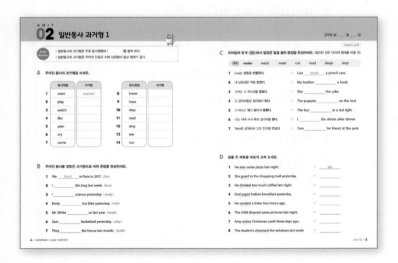

+ Workbook

본책에서 학습한 내용을 스스로 복습할
수 있도록 간단한 패턴 드릴 문제들로
구성되어 있습니다.

이 책은 이런 순서로 공부해요!

*1권 차례

01

be동사 과거형

Point 1 be동사 과거형의 형태와 의미

Point 2 be동사 과거형의 부정문

Point 3 be동사 과거형의 의문문

- 과거에 일어난 일을 말할 때 동사의 과거형을 써서 나타내요.

〈현재〉

I am happy now.
나는 지금 행복하다.

〈과거〉

I was sad yesterday.
나는 어제 슬펐다.

Point 1 be동사 과거형의 형태와 의미

1 be동사의 과거형은 주어에 따라 was 또는 were를 쓰며, '~였다, ~에 있었다'라는 의미예요.

> I **am** thirteen years old. 　　나는 13살이다. 〈현재〉
> I **was** twelve years old last year. 　나는 작년에 12살**이었다**. 〈과거〉

I He She It	was	in the library.
We You They	were	

2 be동사의 과거형은 주로 과거를 나타내는 표현과 함께 써요.

> She **was** sick yesterday. 　　　그녀는 **어제** 아팠다.
> They **were** in London last year. 　그들은 **작년에** 런던에 있었다.

cf. 과거를 나타내는 표현: **yesterday** (어제), **last night** (어젯밤에), **last week** (지난주에),
　　　last year (작년에), **two years ago** (2년 전에) 등

> **조심해요!** 　주어가 and로 연결되는 경우 be동사의 형태에 주의하세요.
> Tom and I <u>was</u> at home. (X) 　　Tom and I <u>were</u> at home. (O)

Check Up **1** be동사의 과거형 고르기

주어에 맞게 **was**와 **were** 중 알맞은 것에 체크(✔)하세요.

1 I 　　　　✅ was 　☐ were 　　　　**2** You 　　　☐ was 　☐ were

3 My brother 　☐ was 　☐ were 　　　　**4** The books 　☐ was 　☐ were

5 The bag 　　☐ was 　☐ were 　　　　**6** Amy and I 　☐ was 　☐ were

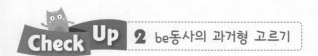
괄호 안에서 알맞은 것을 고르세요.

1   Emily and I (are / were) in the same class last year.

2   Jina (is / was) happy yesterday.

3   My mom (is / was) busy last night.

4   Some students (are / were) late for class yesterday.

5   I (was / were) ten years old last year.

6   They (was / were) in the classroom.

7   Mr. White (was / were) an actor.

8   John and Sam (was / were) in France last year.

9   My cats (was / were) on the sofa.

10   The movie (was / were) really boring.

Point 2 be동사 과거형의 부정문

1 be동사 과거형의 부정문은 was/were 뒤에 **not**을 써서 나타내며, '~이 아니었다, ~에 없었다'라는 의미예요.

> She **was** my classmate. 그녀는 나의 반 친구였다. 〈긍정문〉
> She **was** not my classmate. 그녀는 나의 반 친구가 **아니었다**. 〈부정문〉

2 be동사 과거형의 부정문은 주어에 따라 다음과 같이 써요. was not과 were not은 각각 wasn't와 weren't로 줄여 쓸 수 있어요.

I He She It	was not (= wasn't)	in the library.
We You They	were not (= weren't)	

Check Up 1 be동사 과거형의 부정문 완성하기

다음 문장을 부정문으로 바꿀 때 빈칸에 알맞은 말을 쓰세요.

1 I was busy. → I ___was___ ___not___ busy.

2 They were in the room. → They _____ _____ in the room.

3 We were late for school. → We _____ _____ late for school.

4 He was a doctor. → He _____ _____ a doctor.

5 She was happy. → She _____ _____ happy.

6 You were at home. → You _____ _____ at home.

괄호 안에서 알맞은 것을 고르세요.

1 She (was not / were not) in the kitchen.

They (was not / were not) in the living room.

2 Ms. Brown (was not / were not) my homeroom teacher.

Jina and Sam (was not / were not) my classmates.

3 The TV show (was not / were not) funny.

The movies (was not / were not) interesting.

4 The eraser (was not / were not) in the pencil case.

The textbooks (was not / were not) in the bag.

5 He (wasn't / weren't) hungry.

We (wasn't / weren't) late for the concert.

6 The soup (wasn't / weren't) delicious.

The cookies (wasn't / weren't) sweet.

7 Lisa (wasn't / weren't) a baseball player.

Emily and Kevin (wasn't / weren't) soccer players.

1 be동사 과거형의 의문문은 「Was/Were＋주어 ～?」의 형태이며, '～였니?, ～에 있었니?'라는 의미예요.

> **They were** in the music room. 그들은 음악실에 있었다. 〈평서문〉
>
> Were they in the music room? 그들은 음악실에 있었니? 〈의문문〉

Was	I he she it	late?
Were	we you they	

2 be동사 과거형의 의문문에 대한 대답은 다음과 같아요.

긍정의 대답	Yes, 주어＋was/were.
부정의 대답	No, 주어＋wasn't/weren't.

A Was she a doctor? 그녀는 의사였니?
B Yes, she was. 응. 그래.
/ No, she wasn't. / 아니. 그렇지 않아.

Check Up 1 be동사 과거형의 의문문과 대답 고르기

괄호 안에서 알맞은 것을 고르세요.

1 A (**Was** / Were) he a pilot? B Yes, he (**was** / wasn't).

2 A (Was / Were) you busy? B Yes, I (was / wasn't).

3 A (Was / Were) Kate lazy? B No, she (wasn't / weren't).

4 A (Was / Were) they in the gym? B No, they (were / weren't).

다음 문장을 의문문으로 바꿀 때 빈칸에 알맞은 말을 쓰세요.

1   He was a police officer.   →   __Was__   __he__   a police officer?

2   I was short.   →   _____ _____ short?

3   They were students.   →   _____ _____ students?

4   It was cold yesterday.   →   _____ _____ cold yesterday?

5   You were sleepy.   →   _____ _____ sleepy?

6   She was in the market.   →   _____ _____ in the market?

7   He was a soccer player.   →   _____ _____ a soccer player?

8   These shoes were popular.   →   _____ _____ _____ popular?

9   The books were on the desk.   →   _____ _____ _____ on the desk?

10   The park was beautiful.   →   _____ _____ _____ beautiful?

사진을 보고 빈칸에 알맞은 be동사의 과거형을 써서 문장을 완성하세요. (부정문은 줄임말로 쓸 것)

1

He ___wasn't___ a police officer.

He ___was___ a firefighter.

2

We _____ in the library.

We _____ in the gym.

3

They _____ pilots.

They _____ farmers.

4

A _____ she sick?

B Yes, she _____.

5

A _____ you in the music room?

B No, I _____.

6

A _____ the books on the table?

B No, they _____.

WORD BANK   police officer 경찰관   firefighter 소방관   gym 체육관   pilot 비행기 조종사   sick 아픈

밑줄 친 부분이 우리말에 맞으면 O, 틀리면 X 표를 한 후 틀린 부분을 바르게 고쳐 쓰세요.

1 He <u>is</u> nine years old last year.
그는 작년에 9살이었다.

X → was

2 The classroom <u>was</u> very clean.
그 교실은 매우 깨끗했다.

◯ →

3 We <u>aren't</u> busy last night.
우리는 어젯밤에 바쁘지 않았다.

◯ →

4 I <u>were</u> tired yesterday.
나는 어제 피곤했다.

◯ →

5 <u>Was</u> your cats brown?
너의 고양이들은 갈색이었니?

◯ →

6 Paul <u>weren't</u> late for class.
Paul은 수업에 늦지 않았다.

◯ →

7 The children <u>was</u> in the yard.
그 아이들은 마당에 있었다.

◯ →

8 <u>Are</u> you at home last Sunday?
너는 지난 일요일에 집에 있었니?

◯ →

WORD BANK last year 작년   last night 어젯밤   yard 마당   last Sunday 지난 일요일

다음 문장을 지시대로 바꿔 쓰세요. (부정문은 줄임말로 쓸 것)

1

I am very hungry.

과거형 → I was very hungry.

2

She is a famous writer.

과거형 →

3

The soccer game was exciting.

부정문 →

4

He was at the bus stop.

부정문 →

5

The students were in the museum.

부정문 →

6

They were in the same class.

의문문 →

7

Mr. Brown was a dentist.

의문문 →

WORD BANK writer 작가   exciting 신나는   bus stop 버스 정류장   dentist 치과 의사

주어진 단어와 be동사의 과거형을 이용하여 우리말에 맞게 영작하세요. (부정문은 줄임말로 쓸 것)

1 우리는 작년에 서울에 **있었다.** (in Seoul, last year)

We	were	in Seoul	last year.
우리는	있었다	서울에	작년에

2 2년 전에 그는 키가 크지 **않았다.** (tall, two years ago)

그는	않았다	키가 큰	2년 전에

3 그들은 같은 팀에 **있었니?** (on the same team)

있었니	그들은	같은 팀에

4 나는 어젯밤에 극장에 **있지 않았다.** (in the theater, last night)

나는	있지 않았다	극장에	어젯밤에

5 그녀는 10년 전에 가수**였다.** (a singer, ten years ago)

그녀는	였다	가수	10년 전에

6 너는 지난주에 **바빴니?** (busy, last week)

였니	너는	바쁜	지난주에

7 그는 너의 담임 선생님**이셨니?** (your homeroom teacher)

이셨니	그는	너의 담임 선생님

A 사진에 맞게 대화 완성하기

사진을 보고 빈칸에 알맞은 **be**동사의 과거형을 써서 대화를 완성하세요. (부정문은 줄임말로 쓸 것)

1 **A** ___Was___ Jane sick yesterday?

  B No, ___she___ ___wasn't___. She ___was___ okay.

2 **A** _____ you at the party yesterday?

  B No, _____ _____. I _____ at home.

3 **A** _____ Jack and Tina in the classroom yesterday?

  B Yes, _____ _____.

B 과거와 현재 비교하기

표를 보고 **Tony**의 과거와 현재를 비교하는 문장을 완성하세요.

	last year	now
키	135 cm	140 cm
성격	shy	not shy
좋아하는 과목	science and math	music

last year

- Tony ① ___was___ 135 cm tall.
- He ② _____ shy.
- His favorite subjects ③ _____ science and math.

now

- Tony ④ _____ 140 cm tall.
- He isn't shy.
- His favorite subject ⑤ _____ music.

02

일반동사 과거형 1

Point 1 일반동사의 과거형: 규칙 변화

Point 2 일반동사의 과거형: 불규칙 변화

• 일반동사의 과거형은 주어에 상관없이 주로 동사에 -ed를 붙여 나타내요.

I wash my hair every day.
나는 매일 머리를 감는다.

He washed his hair last week.
그는 지난주에 머리를 감았다.

Point 1 일반동사의 과거형: 규칙 변화

1 일반동사의 과거형은 주로 동사원형에 -ed를 붙여 나타내며, '~했다'라는 의미예요.

> I **watch** TV every night.   나는 매일 밤 TV를 본다. 〈현재〉
> I watched TV last night.   나는 어젯밤에 TV를 보았다. 〈과거〉

2 일반동사를 과거형으로 만드는 규칙은 다음과 같아요.

대부분의 동사 -ed			
watch	보다	– watched	보았다
open	열다	– opened	열었다
want	원하다	– wanted	원했다
play	놀다	– played	놀았다

-e로 끝나는 동사 -d			
like	좋아하다	– liked	좋아했다
live	살다	– lived	살았다
dance	춤추다	– danced	춤췄다
move	움직이다	– moved	움직였다

「자음+y」로 끝나는 동사 -y → -ied			
cry	울다	– cried	울었다
study	공부하다	– studied	공부했다
try	노력하다	– tried	노력했다

「단모음+단자음」으로 끝나는 동사 자음 추가+-ed			
stop	멈추다	– stopped	멈췄다
plan	계획하다	– planned	계획했다
jog	조깅하다	– jogged	조깅했다

> **조심해요!** 일반동사의 과거형은 주어가 3인칭 단수라도 동사에 -s를 붙이지 않아요.
> He <u>playeds</u> soccer. (X)   He played soccer. (O)

Check Up 1 일반동사의 과거형 고르기

주어진 동사의 과거형으로 알맞은 것을 고르세요.

1 play → (⟨played⟩ / playd)

2 open → (openned / opened)

3 live → (lived / liveed)

4 want → (wanted / wantied)

5 study → (studyed / studied)

6 stop → (stoped / stopped)

Check Up 2 일반동사의 과거형 쓰기

주어진 동사의 과거형을 쓰세요.

		동사원형	과거형		동사원형	과거형
-ed	**1**	walk 걷다	walked 걸었다	**2**	talk 말하다	말했다
	3	clean 청소하다	청소했다	**4**	visit 방문하다	방문했다
	5	call 전화하다	전화했다	**6**	help 돕다	도왔다
-d	**7**	use 사용하다	사용했다	**8**	love 사랑하다	사랑했다
	9	close 닫다	닫았다	**10**	like 좋아하다	좋아했다
	11	move 움직이다	움직였다	**12**	smile 미소 짓다	미소 지었다
-ied	**13**	try 노력하다	노력했다	**14**	cry 울다	울었다
	15	study 공부하다	공부했다	**16**	carry 나르다	날랐다
자음 +-ed	**17**	stop 멈추다	멈췄다	**18**	plan 계획하다	계획했다
	19	jog 조깅하다	조깅했다	**20**	drop 떨어뜨리다	떨어뜨렸다

일반동사의 과거형: 불규칙 변화

일반동사의 과거형을 만들 때 불규칙적으로 변하는 동사들도 있어요.

1 현재형과 과거형의 형태가 같은 경우

cut	자르다	–	cut	잘랐다	put	놓다	–	put	놓았다
read	읽다	–	read	읽었다	hit	치다	–	hit	쳤다

> **cf.** read는 현재형과 과거형의 철자는 같지만 발음이 달라요.
> read [ri:d] (현재형) – read [red] (과거형)

2 현재형과 과거형의 형태가 다른 경우

make	만들다	–	made	만들었다	go	가다	–	went	갔다
send	보내다	–	sent	보냈다	do	하다	–	did	했다
build	짓다	–	built	지었다	eat	먹다	–	ate	먹었다
come	오다	–	came	왔다	have	가지다	–	had	가졌다
drink	마시다	–	drank	마셨다	see	보다	–	saw	보았다
sing	노래하다	–	sang	노래했다	sleep	자다	–	slept	잤다
write	쓰다	–	wrote	썼다	meet	만나다	–	met	만났다
run	달리다	–	ran	달렸다	buy	사다	–	bought	샀다
give	주다	–	gave	주었다	teach	가르치다	–	taught	가르쳤다
ride	타다	–	rode	탔다	draw	그리다	–	drew	그렸다
swim	수영하다	–	swam	수영했다	know	알다	–	knew	알았다

Check Up **1** 일반동사의 과거형 고르기

주어진 동사의 과거형으로 알맞은 것을 고르세요.

1 cut → (cut / cutted)

2 go → (goed / went)

3 make → (maked / made)

4 buy → (buyed / bought)

5 ride → (ride / rode)

6 put → (put / putted)

주어진 동사의 과거형을 쓰세요.

	동사원형	과거형		동사원형	과거형
1	do 하다	did 했다	2	read 읽다	읽었다
3	see 보다	보았다	4	know 알다	알았다
5	meet 만나다	만났다	6	sing 노래하다	노래했다
7	write 쓰다	썼다	8	draw 그리다	그렸다
9	teach 가르치다	가르쳤다	10	put 놓다	놓았다
11	give 주다	주었다	12	come 오다	왔다
13	have 가지다	가졌다	14	make 만들다	만들었다
15	eat 먹다	먹었다	16	drink 마시다	마셨다
17	send 보내다	보냈다	18	sleep 자다	잤다
19	buy 사다	샀다	20	build 짓다	지었다

우리말에 맞게 주어진 단어를 빈칸에 알맞은 형태로 써서 문장을 완성하세요.

1

play

We ___play___ baseball after school.
우리는 방과 후에 야구를 한다.
We ___played___ baseball yesterday.
우리는 어제 야구를 했다.

2

live

They _____ in Paris now.
그들은 지금 파리에 산다.
They _____ in London three years ago.
그들은 3년 전에 런던에 살았다.

3

study

She _____ English every day.
그녀는 매일 영어를 공부한다.
She _____ math yesterday.
그녀는 어제 수학을 공부했다.

4

have

Amy _____ a piano lesson today.
Amy는 오늘 피아노 수업이 있다.
Amy _____ a tennis lesson yesterday.
Amy는 어제 테니스 수업이 있었다.

5

eat

I _____ bread for breakfast every day.
나는 매일 아침으로 빵을 먹는다.
I _____ pizza for lunch yesterday.
나는 어제 점심으로 피자를 먹었다.

6

sleep

Sam _____ for 8 hours every night.
Sam은 매일 밤 8시간을 잔다.
Sam _____ for 10 hours last night.
Sam은 어젯밤 10시간을 잤다.

사진을 보고 보기 에서 알맞은 말을 골라 과거형으로 문장을 완성하세요.

| 보기 | ~~walk~~ | drink | cry | cut | close | ride |

1

They ___walked___ together.

2

My mom _____ the window.

3

The little girl _____ .

4

We _____ our bikes last week.

5

James _____ the paper with scissors.

6

I _____ a glass of milk this morning.

WORD BANK   together 함께   scissors 가위   a glass of ~ 한 잔   this morning 오늘 아침에

밑줄 친 부분이 우리말에 맞으면 O, 틀리면 X 표를 한 후 틀린 부분을 바르게 고쳐 쓰세요.

1 The boys danceed in the streets.
그 소년들은 거리에서 **춤췄다.**

X → danced

2 Dad wents to work early today.
아빠는 오늘 일찍 출근하셨다.

☐ → ☐

3 We stoped at a red light.
우리는 빨간 불에서 **멈췄다.**

☐ → ☐

4 I meet my friends yesterday.
나는 어제 친구들을 만났다.

☐ → ☐

5 They ran to school this morning.
그들은 오늘 아침에 학교에 **뛰어갔다.**

☐ → ☐

6 She putted the book on the desk.
그녀는 그 책을 책상 위에 **놓았다.**

☐ → ☐

7 The children swimed in the pool.
그 아이들은 수영장에서 **수영했다.**

☐ → ☐

8 Ted does his homework last night.
Ted는 어젯밤에 숙제를 **했다.**

☐ → ☐

주어진 단어를 이용하여 우리말에 맞게 영작하세요.

1 그는 새 자전거를 **샀다.** (buy, a new bike)

He	bought	a new bike.
그는	샀다	새 자전거를

2 우리는 어제 농구를 **했다.** (play, basketball, yesterday)

우리는	했다	농구를	어제

3 Amy는 일찍 학교에 **갔다.** (go, to school, early)

Amy는	갔다	학교에	일찍

4 그들은 작년에 뉴욕에서 **살았다.** (live, in New York, last year)

그들은	살았다	뉴욕에서	작년에

5 Tom은 저녁 식사 후에 숙제를 **했다.** (do, his homework, after dinner)

Tom은	했다	그의 숙제를	저녁 식사 후에

6 그녀는 점심으로 피자를 **먹었다.** (eat, pizza, for lunch)

그녀는	먹었다	피자를	점심으로

7 그들은 시험을 위해 **공부했다.** (study, for the test)

그들은	공부했다	시험을 위해

A 서술형 WRITING

A 과거 묘사하기

Emily의 현재 모습을 참고하여 과거를 묘사하는 문장을 완성하세요.

last year

- Emily ① ___had___ short hair.
- She ② _____ to elementary school.
- She ③ _____ pink.

* elementary school: 초등학교

now

- Emily has long hair.
- She goes to middle school.
- She likes yellow.

* middle school: 중학교

B 일기 고쳐 쓰기

Kevin의 일기를 읽고, 밑줄 친 부분을 과거형으로 바르게 고쳐 쓰세요.

This morning, I ① <u>openned</u> my email box. There was an email from Ted. He ② <u>is</u> my classmate last year. He ③ <u>sended</u> a very long email. I ④ <u>readed</u> it happily. I miss him.

① openned → ___opened___

② is → _____

③ sended → _____

④ readed → _____

03

일반동사 과거형 2

Point 1 일반동사 과거형의 부정문

Point 2 일반동사 과거형의 의문문

- 일반동사 과거형의 부정문과 의문문은 do의 과거형인 **did**를 써서 나타내요.

He **did not** sleep well.　〈부정문〉
그는 잠을 잘 **못** 잤다.

Did he sleep well?　〈의문문〉
그는 잠을 잘 **잤**니?

Point 1 일반동사 과거형의 부정문

1 일반동사 과거형의 부정문은 「주어+did not+동사원형 ~.」의 형태이며, '~하지 않았다'라는 의미예요.

I **had** breakfast this morning.	나는 오늘 아침에 아침을 먹었다. 〈긍정문〉
I did not have breakfast this morning.	나는 오늘 아침에 아침을 **먹지 않았다.** 〈부정문〉

2 일반동사 과거형의 부정문은 주어에 상관없이 항상 같은 형태로 써요. **did not**은 **didn't**로 줄여 쓸 수 있어요.

I He She It We You They	did not (= didn't)	work	yesterday.

> 조심해요! **did not** 뒤에 동사의 과거형을 쓰지 않도록 주의하세요.
> He did not <u>had</u> dinner last night. (X)
> He did not have dinner last night. (O)

Check Up 1 일반동사 과거형의 부정문 고르기

다음 문장을 부정문으로 바꿀 때 괄호 안에서 알맞은 것을 고르세요.

1 We used the Internet. → We (don't / (didn't)) use the Internet.

2 She watched TV. → She (doesn't / didn't) watch TV.

3 They rode their bikes. → They (don't / didn't) ride their bikes.

4 Ted cleaned the backyard. → Ted didn't (clean / cleaned) the backyard.

다음 문장을 부정문으로 바꿀 때 빈칸에 알맞은 말을 쓰세요. (줄임말로 쓸 것)

1 I played the piano. → I ___didn't___ ___play___ the piano.

2 She went shopping. → She _____ _____ shopping.

3 He waited for me. → He _____ _____ for me.

4 They watched a movie. → They _____ _____ a movie.

5 Mom made sandwiches. → Mom _____ _____ sandwiches.

6 Amy bought a shirt. → Amy _____ _____ a shirt.

7 You answered the phone. → You _____ _____ the phone.

8 He worked yesterday. → He _____ _____ yesterday.

9 We played tennis. → We _____ _____ tennis.

10 I wrote a letter. → I _____ _____ a letter.

Point 2 일반동사 과거형의 의문문

1 일반동사 과거형의 의문문은 「Did+주어+동사원형 ~?」의 형태이며, '~했니?'라는 의미예요.

> They **cleaned** the classroom.   그들은 교실을 청소했다. 〈평서문〉
> **Did** they **clean** the classroom?   그들은 교실을 청소했니? 〈의문문〉

Did	I he she it we you they	have	lunch?

2 일반동사 과거형의 의문문에 대한 대답은 다음과 같아요.

긍정의 대답	Yes, 주어＋did.	**A** Did he go swimming?	그는 수영하러 갔니?
부정의 대답	No, 주어＋didn't.	**B** Yes, he did. / No, he didn't.	응, 갔어. / 아니, 안 갔어.

> **조심해요!** 주어 뒤에 오는 동사를 과거형으로 쓰지 않도록 주의하세요.
> Did Sam watched the movie? (X)   Did Sam watch the movie? (O)

Check Up 1 일반동사 과거형의 의문문 고르기

다음 문장을 의문문으로 바꿀 때 괄호 안에서 알맞은 것을 고르세요.

1 He studied hard.   → Did he (study / studied) hard?

2 They went camping.   → Did they (went / go) camping?

3 They played soccer.   → Did they (played / play) soccer?

4 Tom did his homework. → Did Tom (do / did) his homework?

다음 문장을 의문문으로 바꿀 때 빈칸에 알맞은 말을 쓰세요.

1 She took the picture. → __Did__ __she__ __take__ the picture?

2 You saw the cat. → _____ _____ _____ the cat?

3 He washed the dishes. → _____ _____ _____ the dishes?

4 She drank some milk. → _____ _____ _____ some milk?

5 Ted sang a song. → _____ _____ _____ a song?

6 They listened to the radio. → _____ _____ _____ to the radio?

7 Emily opened the door. → _____ _____ _____ the door?

8 John met them again. → _____ _____ _____ them again?

9 Jina sent a message. → _____ _____ _____ a message?

10 The bus came late. → _____ the bus _____ late?

사진을 보고 보기 에서 알맞은 말을 골라 과거형으로 문장을 완성하세요. (부정문은 줄임말로 쓸 것)

> 보기 ~~play~~ wash teach eat ride visit

1

He ___didn't___ ___play___ the piano.

He ___played___ the violin.

2

She _____ _____ art.

She _____ math.

3

She _____ _____ a horse.

She _____ her bike.

4

A _____ he _____ his hands?

B Yes, he _____ .

5

A _____ you _____ spaghetti?

B No, I _____ .

6

A _____ they _____ the museum?

B Yes, they _____ .

밑줄 친 부분이 맞으면 **O**, 틀리면 **X** 표를 한 후 틀린 부분을 바르게 고쳐 쓰세요.

1   We didn't <u>played</u> in the park.   [X] → [play]

2   She <u>doesn't</u> read books yesterday.   [ ] → [ ]

3   I did not <u>eat</u> the cookies.   [ ] → [ ]

4   They didn't <u>came</u> to the party.   [ ] → [ ]

5   <u>Do</u> you meet Sam last Friday?   [ ] → [ ]

6   Did they <u>go</u> camping last weekend?   [ ] → [ ]

7   <u>Was</u> Emily call you yesterday?   [ ] → [ ]

8   Did you <u>slept</u> well last night?   [ ] → [ ]

WORD BANK   last Friday 지난 금요일   go camping 캠핑을 가다   last weekend 지난 주말   last night 어젯밤

다음 문장을 지시대로 바꿔 쓰세요. (부정문은 줄임말로 쓸 것)

1   I swam in the pool.

부정문 → I didn't swim in the pool. _____

2   Paul had breakfast today.

부정문 → _____

3   She studied in the library.

부정문 → _____

4   He finished his homework.

의문문 → _____

5   Jenny made this doll.

의문문 → _____

6   She ate a sandwich.

의문문 → _____

7   They went swimming last Saturday.

의문문 → _____

WORD BANK   pool 수영장   finish 끝내다   doll 인형   last Saturday 지난 토요일

주어진 단어를 이용하여 우리말에 맞게 영작하세요. (부정문은 줄임말로 쓸 것)

1 나는 어제 Ted를 만나지 않았다. (meet, Ted, yesterday)

I	didn't ┆ meet	Ted	yesterday.
나는	만나지 않았다	Ted를	어제

2 그녀는 아침을 먹지 않았다. (have, breakfast)

그녀는	먹지 않았다	아침을

3 John은 숙제를 하지 않았다. (do, his homework)

John은	하지 않았다	그의 숙제를

4 그는 잠을 잘 못 잤다. (sleep, well)

그는	잠을 못 잤다	잘

5 그는 지난주에 쇼핑하러 갔었니? (go shopping)

	그는	쇼핑하러 갔었니	지난주에

6 너는 어제 일찍 일어났니? (get up, early, yesterday)

	너는	일어났니	일찍	어제

7 그들은 작년에 여기서 살았니? (live, here, last year)

	그들은	살았니	여기서	작년에

서술형 WRITING

A 과거의 일 묻고 답하기

사진을 보고 보기 에서 알맞은 말을 골라 대화를 완성하세요. (필요한 경우 단어의 형태를 바꿀 것)

보기   ~~eat~~   meet   buy

1

A   __Did__ he __eat__ a hamburger this morning?

B   No, he didn't. He ate pizza.

2

A   _____ you _____ shoes last weekend?

B   No, I didn't. I _____ some shirts.

3

A   _____ they _____ their grandparents yesterday?

B   Yes, _____ _____.

B 어제 하지 않은 일 쓰기

다음은 Lisa가 어제 한 일과 하지 않은 일을 표시한 메모입니다. 메모를 보고 Lisa에 관한 글을 완성하세요. (줄임말로 쓸 것)

clean my room   ⋯   O
watch a movie   ⋯   X
read a book   ⋯   X
call Jina   ⋯   X
go to the park   ⋯   X

→

Yesterday, Lisa cleaned her room, but

she ① __didn't watch__ a movie.

She ② _____ a book.

She ③ _____ Jina.

She ④ _____ to the park.

미래를 나타내는 will

Point 1 will의 긍정문

Point 2 will의 부정문

Point 3 will의 의문문

- '~할 거야, ~일 거야'처럼 앞으로 할 일이나 일어날 일을 말할 때 동사 앞에 will을 써서 나타내요.

We visit Everland every year.
우리는 매년 에버랜드를 방문한다.

We will visit Disneyland next year.
우리는 내년에 디즈니랜드를 방문할 것이다.

Point 1 will의 긍정문

1 미래의 일을 나타낼 때는 「주어+will+동사원형 ~.」의 형태로 쓰며, '~할 것이다, ~일 것이다'라고 해석해요.

> We **go** on a picnic every year.   우리는 매년 소풍을 간다.   〈현재〉
> We will **go** on a picnic tomorrow.   우리는 내일 소풍을 **갈 것이다.** 〈미래〉

2 will은 주어에 상관없이 항상 같은 형태로 써요.

I He She It We You They	will	**come**	soon.

> **cf.** 주어가 인칭대명사일 때 「주어+will」은 「주어'll」로 줄여 쓸 수 있어요.
>
> I will → I'll   He will → He'll   We will → We'll   It will → It'll
> You will → You'll   She will → She'll   They will → They'll

3 미래시제는 주로 미래를 나타내는 표현과 함께 써요.

> The bus **will arrive** soon.   버스가 곧 도착할 것이다.
> I **will visit** my grandmother next week.   나는 **다음 주에** 할머니를 뵈러 갈 것이다.

> **cf.** 미래를 나타내는 표현: soon (곧), later (나중에), tomorrow (내일), next week (다음 주), next year (내년) 등

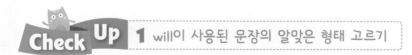

Check Up   **1** will이 사용된 문장의 알맞은 형태 고르기

괄호 안에서 알맞은 것을 고르세요.

1 She will (buy / buys) a new bag.   **2** I will (go / went) to the library.

3 They will (play / played) soccer.   **4** He will (meets / meet) Lisa.

5 She will (is / be) a pilot in the future.   **6** Tom (wills / will) come early.

우리말에 맞는 문장을 고르세요.

1 Emily는 새 드레스를 입을 것이다.
ⓐ Emily wears a new dress.
✓ⓑ Emily will wear a new dress.

2 Sam은 그의 엄마를 도울 것이다.
ⓐ Sam helps his mom.
ⓑ Sam will help his mom.

3 내 남동생은 9살이다.
ⓐ My brother is nine years old.
ⓑ My brother will be nine years old.

4 우리는 박물관을 방문할 것이다.
ⓐ We visit the museum.
ⓑ We will visit the museum.

5 그들은 아침 식사로 토스트를 먹는다.
ⓐ They have toast for breakfast.
ⓑ They will have toast for breakfast.

 **Check Up 3** 「주어+will」의 줄임말 쓰기

밑줄 친 부분을 줄임말로 바꿔 쓰세요.

1 <u>I will</u> do my homework. → ___I'll___ do my homework.

2 <u>You will</u> be happy. → _____ be happy.

3 <u>She will</u> go swimming. → _____ go swimming.

4 <u>He will</u> join the book club. → _____ join the book club.

5 <u>We will</u> arrive tomorrow. → _____ arrive tomorrow.

6 <u>They will</u> come home soon. → _____ come home soon.

Point 2 will의 부정문

1 will의 부정문은 「주어+will not+동사원형 ~.」의 형태이며, '~하지 않을 것이다'라는 의미예요.

> I **will call** Kate tonight.   나는 오늘 밤 Kate에게 전화할 것이다.   〈긍정문〉
> I **will** not **call** Kate tonight.   나는 오늘 밤 Kate에게 전화하지 **않을 것이다.** 〈부정문〉

2 will의 부정문은 주어에 상관없이 항상 같은 형태로 써요. will **not**은 won't로 줄여 쓸 수 있어요.

I He She It We You They	will not (= won't)	take	a bus.

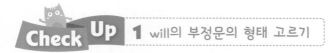 **Check Up 1** will의 부정문의 형태 고르기

괄호 안에서 알맞은 것을 고르세요.

1 She ((will not) / not will) take pictures.

2 They will (don't / not) go out tomorrow.

3 Tom (will not / doesn't will) tell a lie.

4 Jenny will not (drink / drank) soda.

5 He won't (wear / wears) the blue jeans.

Check Up 2 현재와 미래의 부정문 구별하기

다음 문장의 의미로 알맞은 것을 고르세요.

1 I will not take a shower.
ⓐ 나는 샤워를 하지 않는다.
✓ⓑ 나는 샤워를 하지 않을 것이다.

2 They won't turn off the TV.
ⓐ 그들은 TV를 끄지 않는다.
ⓑ 그들은 TV를 끄지 않을 것이다.

3 We don't go on a picnic.
ⓐ 우리는 소풍을 가지 않는다.
ⓑ 우리는 소풍을 가지 않을 것이다.

4 She won't invite her friends.
ⓐ 그녀는 친구들을 초대하지 않는다.
ⓑ 그녀는 친구들을 초대하지 않을 것이다.

Check Up 3 will의 부정문 완성하기

다음 문장을 지시대로 부정문으로 바꿀 때 빈칸에 알맞은 말을 쓰세요.

주어 +will not

1 I will study English.
→ I __will__ __not__ __study__ English.

2 She will go to the movies.
→ She _____ _____ _____ to the movies.

3 We will cook dinner.
→ We _____ _____ _____ dinner.

주어+ won't

4 They will go camping.
→ They _____ _____ camping.

5 I will ride my bike.
→ I _____ _____ my bike.

6 She will buy a skirt.
→ She _____ _____ a skirt.

Point 3 will의 의문문

1 will의 의문문은 「Will+주어+동사원형 ~?」의 형태이며, '~할 거니?'라는 의미예요.

> They **will play** soccer after school. 그들은 방과 후에 축구를 할 것이다. 〈평서문〉
>
> Will they **play** soccer after school? 그들은 방과 후에 축구를 할 거니? 〈의문문〉

Will	I he she it we you they	**watch**	TV?

2 will의 의문문에 대한 대답은 다음과 같아요.

긍정의 대답	Yes, 주어+will.	**A** Will you go to the library?	너는 도서관에 갈 거니?
부정의 대답	No, 주어+won't.	**B** Yes, I will. / No, I won't.	응, 갈 거야. / 아니, 안 갈 거야.

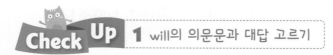

Check Up 1 will의 의문문과 대답 고르기

괄호 안에서 알맞은 것을 고르세요.

1 A (**Will** / Wills) he come to the concert?   B Yes, he (**will** / won't).

2 A (Will / Wills) Kate leave soon?   B Yes, she (will / won't).

3 A Will you (go / went) with Ted?   B No, I (will / won't).

4 A Will he (visit / visits) us?   B No, he (will / won't).

다음 문장을 의문문으로 바꿀 때 빈칸에 알맞은 말을 쓰세요.

1 He will be a singer. → ___Will___ ___he___ ___be___ a singer?

2 They will change the plan. → _____ _____ _____ the plan?

3 It will snow tomorrow. → _____ _____ _____ tomorrow?

4 Amy will buy a hat. → _____ _____ _____ a hat?

5 She will learn Chinese. → _____ _____ _____ Chinese?

6 Kevin will help us. → _____ _____ _____ us?

7 They will play baseball. → _____ _____ _____ baseball?

8 She will bake cookies. → _____ _____ _____ cookies?

9 The girls will go hiking. → _____ the girls _____ hiking?

10 The movie will start soon. → _____ the movie _____ soon?

사진을 보고 보기 에서 알맞은 말을 골라 **will**을 이용하여 문장을 완성하세요. (부정문은 줄임말로 쓸 것)

보기   ~~play~~   read   drink   watch   buy   come

1

We ___won't___ ___play___ basketball.

We ___will___ ___play___ badminton.

2

He _____ _____ a cap.

He _____ _____ a T-shirt.

3

She _____ _____ milk.

She _____ _____ juice.

4

A _____ she _____ TV?

B Yes, she _____.

5

A _____ he _____ books?

B No, he _____.

6

A _____ they _____
to the party?

B Yes, they _____.

밑줄 친 부분이 맞으면 O, 틀리면 X 표를 한 후 틀린 부분을 바르게 고쳐 쓰세요.

1   My sister <u>wills</u> go to Canada next year.   X →   will

2   John will <u>plays</u> soccer after school.   ☐ → ☐

3   He won't <u>has</u> dinner tonight.   ☐ → ☐

4   Jenny won't <u>go</u> shopping with us.   ☐ → ☐

5   The bus will not <u>comes</u> soon.   ☐ → ☐

6   <u>Wills</u> she clean her room tomorrow?   ☐ → ☐

7   Will the TV show <u>starts</u> soon?   ☐ → ☐

8   It won't <u>is</u> cold next week.   ☐ → ☐

다음 문장을 지시대로 바꿔 쓰세요. (부정문은 줄임말로 쓸 것)

1
미래형 →
They live in Canada.
They will live in Canada.

2
미래형 →
He plays the piano.

3
부정문 →
We will be late.

4
부정문 →
Kate will wear the pink dress.

5
의문문 →
The students will learn Chinese.

6
의문문 →
He will take pictures here.

7
의문문 →
She will go to the museum.

주어진 단어와 will을 이용하여 우리말에 맞게 영작하세요. (부정문은 줄임말로 쓸 것)

1 우리는 시장에 **갈 것이다.** (go, to the market)

We	will	go	to the market.
우리는	갈 것이다		시장에

2 Paul은 내년에 13살이 **될 것이다.** (be, thirteen years old, next year)

Paul은	될 것이다	13살이	내년에

3 그들은 곧 **도착할 것이다.** (arrive, soon)

그들은	도착할 것이다	곧

4 그는 내일 런던을 **방문할 것이다.** (visit, London, tomorrow)

그는	방문할 것이다	런던을	내일

5 나는 다시는 패스트푸드를 **먹지 않을 것이다.** (eat, fast food, again)

나는	먹지 않을 것이다	패스트푸드를	다시는

6 너는 학교에 **걸어갈 거니?** (walk, to school)

할 거니	너는	걸어가다	학교에

7 우리 팀이 내일 **이길까?** (our team, win, tomorrow)

할까	우리 팀이	이기다	내일

Answers p.6

A 미래의 일 묻고 답하기

사진을 보고 주어진 단어와 **will**을 이용하여 대화를 완성하세요.

1

A _____ you _____ the subway to school? (take)

B No, I won't. The station is far from here.

I _____ _____ the school bus.   * subway: 지하철

2

A _____ she _____ our math club? (join)

B No, she won't. She doesn't like math.

She _____ _____ the tennis club.   * join: 가입하다

B 벼룩시장에서 할 일 쓰기

벼룩시장에 관한 글을 읽고, 밑줄 친 부분을 미래를 나타내는 말로 고쳐 글을 완성하세요.

Our school ① <u>has</u> a flea market next Tuesday. I ② <u>sell</u> ice cream. Paul ③ <u>bakes</u> cookies. Sam ④ <u>makes</u> juice. We ⑤ <u>have</u> fun!   * flea market: 벼룩시장

⬇

Our school ① ___will have___ a flea market next Tuesday. I ② _____ ice cream. Paul ③ _____ cookies. Sam ④ _____ juice. We ⑤ _____ fun!

U N I T

05

미래를 나타내는 be going to

Point 1 be going to의 긍정문

Point 2 be going to의 부정문

Point 3 be going to의 의문문

- 미래의 일을 나타낼 때 will 이외에도 be going to를 써서 나타내기도 해요.

I will call you tomorrow.
I am going to call you tomorrow.
나는 내일 너에게 **전화를 할 거야**.

point 1 be going to의 긍정문

1 be going to로 미래를 나타낼 때는 「주어+be going to+동사원형 ~.」의 형태로 쓰며, '~할 것이다, ~할 예정이다'로 해석해요. be going to는 주로 미리 계획한 일을 나타낼 때 써요.

> We **visit** the museum every year.   우리는 매년 박물관을 방문한다.
> We are going to **visit** the museum tomorrow.   우리는 내일 박물관을 **방문할 예정이다.** 〈계획한 일〉

2 be going to에서 be동사 자리에는 주어에 따라 am/is/are를 써요.

I	am		
He She It	is	going to **come**	next week.
We You They	are		

> 조심해요!   be going to로 미래를 나타낼 때는 be동사를 빠트리지 않도록 주의하세요.
> I <u>going to</u> take a bus. (X)   I am going to take a bus. (O)

Check Up 1 be going to가 사용된 문장의 형태 고르기

괄호 안에서 알맞은 것을 고르세요.

1 She ((is going to) / are going to) visit Sydney this summer.

2 I'm going to (learn / learned) Chinese.

3 We (is going to / are going to) meet next Monday.

4 They are going to (come / will come) back next year.

5 He is going to (plays / play) the violin at the party.

Check Up 2 be going to의 긍정문 완성하기

우리말에 맞게 빈칸에 알맞은 말을 쓰세요. (6~8번은 괄호 안에 주어진 단어를 이용할 것)

1 나는 오늘 밤 영화를 볼 것이다.

→ I _____am_____ going to see a movie tonight.

2 내일은 날씨가 화창할 것이다.

→ It _____ going to be sunny tomorrow.

3 그들은 바다에서 수영할 것이다.

→ They _____ going to swim in the sea.

4 그녀는 이번 주말에 John을 만날 것이다.

→ She _____ _____ _____ meet John this weekend.

5 그는 다음 달에 새 차를 살 예정이다.

→ He _____ _____ _____ buy a new car next month.

6 아빠와 나는 엄마를 도울 것이다.

→ Dad and I _____ _____ _____ _____ Mom. (help)

7 그는 나를 위해 연을 만들 예정이다.

→ He _____ _____ _____ _____ a kite for me. (make)

8 그들은 함께 공부할 것이다.

→ They _____ _____ _____ _____ together. (study)

point 2 be going to의 부정문

1 be going to의 부정문은 「주어+be+not going to+동사원형 ~.」의 형태이며, '~하지 않을 것이다'라는 의미예요.

> I **am going to** visit Spain.   나는 스페인을 방문할 것이다.   〈긍정문〉
> I **am** not **going to** visit Spain.   나는 스페인을 방문하지 **않을** 것이다. 〈부정문〉

I	am		
He She It	is	not	going to **work.**
We You They	are		

2 be going to의 부정문은 다음과 같이 두 가지 형태로 줄여 쓸 수 있어요.

> He is not going to study in the library.   그는 도서관에서 공부하지 **않을** 것이다.
> = He's not going to study in the library.   〈인칭대명사 주어와 not을 줄여 쓴 경우〉
> = He isn't going to study in the library.   〈be동사와 not을 줄여 쓴 경우〉

Check Up **1** be going to의 부정문 형태 이해하기

다음 문장에서 **not**이 들어갈 위치를 고르세요.

1   I'm ✔going to ② eat ③ cookies.

2   She ① is ② going to ③ buy a cap.

3   We are ① going to ② visit ③ our grandparents.

4   They're ① going to ② play ③ the computer games.

Check Up 2 be going to의 부정문 완성하기

다음 문장을 부정문으로 바꿀 때 빈칸에 알맞은 말을 쓰세요. (6~8번은 be동사와 not을 줄여 쓸 것)

1 My sister is going to buy a smartphone.

→ My sister ____is____ ____not____ ____going____ ____to____ buy a smartphone.

2 I am going to help you.

→ I _____ _____ _____ _____ help you.

3 She is going to ride her bike.

→ She _____ _____ _____ _____ ride her bike.

4 We are going to have a snack.

→ We _____ _____ _____ _____ have a snack.

5 It is going to be windy.

→ It _____ _____ _____ _____ be windy.

6 He is going to use this bag.

→ He _____ _____ _____ use this bag.

7 They are going to stay here.

→ They _____ _____ _____ stay here.

8 He is going to make spaghetti.

→ He _____ _____ _____ make spaghetti.

Point 3 · be going to의 의문문

1 be going to의 의문문은 「Be동사+주어+going to+동사원형 ~?」의 형태이며, '~할 거니?, ~할 예정이니?'라는 의미예요.

> She **is going to** visit us tomorrow.   그녀는 내일 우리를 방문할 예정이다. 〈평서문〉
>
> Is she going to visit us tomorrow?   그녀는 내일 우리를 방문할 예정이니? 〈의문문〉

Am	I		
Is	he she it	going to **stay**	home?
Are	we you they		

2 be going to 의문문에 대한 대답은 다음과 같아요.

긍정의 대답	Yes, 주어+am/are/is.	**A** Are you going to have a party? 너는 파티를 열 거니?
부정의 대답	No, 주어+am not/aren't/isnt.	**B** Yes, I am. 응. 열 거야. / No, I'm not. 아니. 안 열 거야.

Check Up 1 be going to의 의문문과 대답 고르기

괄호 안에서 알맞은 것을 고르세요.

1   **A** (Is / Are) he going to finish the work soon?   **B** Yes, he (is / are).

2   **A** (Am / Are) you going to get up early?   **B** Yes, I (am / are).

3   **A** Is it going to (is / be) sunny tomorrow?   **B** No, it (is / isn't).

4   **A** Are they going (clean / to clean) the room?   **B** No, they (are / aren't).

Check Up 2 be going to의 의문문 완성하기

다음 문장을 의문문으로 바꿀 때 빈칸에 알맞은 말을 쓰세요.

1 She is going to study history.

→ ____Is____ ____she____ ____going____ ____to____ study history?

2 We are going to watch a movie.

→ _____ _____ _____ _____ watch a movie?

3 It is going to be cold tonight.

→ _____ _____ _____ _____ be cold tonight?

4 He is going to learn Chinese.

→ _____ _____ _____ _____ learn Chinese?

5 They are going to meet tomorrow.

→ _____ _____ _____ _____ meet tomorrow?

6 She is going to make cookies.

→ _____ _____ _____ _____ make cookies?

7 The boys are going to play soccer.

→ _____ the boys _____ _____ play soccer?

8 The train is going to arrive soon.

→ _____ the train _____ _____ arrive soon?

사진을 보고 보기 에서 알맞은 말을 골라 **be going to**를 이용하여 문장을 완성하세요.

보기   ~~wear~~   play   buy   rain   visit   make

1

She _____is not going to wear_____ a skirt.

She _____is going to wear_____ jeans.

2

They _____ cookies.

They _____ pizza.

3

We _____ baseball.

We _____ basketball.

4

A _____ it _____ today?

B Yes, it is.

5

A _____ he _____ Paris?

B Yes, he is.

6

A _____ you _____ some apples?

B No, I'm not.

밑줄 친 부분이 맞으면 **O**, 틀리면 **X** 표를 한 후 틀린 부분을 바르게 고쳐 쓰세요.

1 He's going to <u>has</u> a party. | X → | have |

2 I <u>be</u> going to meet Kevin. | → | |

3 We are <u>going to</u> ride our bikes. | → | |

4 I'm <u>going to not</u> play the violin. | → | |

5 She <u>doesn't</u> going to join the soccer club. | → | |

6 Are you going <u>clean</u> your room? | → | |

7 <u>Does</u> he going to visit London? | → | |

8 <u>Is going she</u> to stay with us? | → | |

WORD BANK **have a party** 파티를 열다   **join** 가입하다   **stay** 머무르다   **with** ~와 함께

다음 문장을 be going to를 이용하여 지시대로 바꿔 쓰세요. (1~5번은 주어와 be동사를 줄여 쓸 것)

1
미래형 →
I take a shower.
I'm going to take a shower.

2
미래형 →
He sings at the party.
_____

3
부정문 →
We are going to visit Europe.
_____

4
부정문 →
She is going to come back.
_____

5
부정문 →
They are going to study with us.
_____

6
의문문 →
He is going to make a sandwich.
_____

7
의문문 →
You are going to stay home.
_____

WORD BANK   take a shower 샤워를 하다   Europe 유럽   come back 돌아오다   stay home (나가지 않고) 집에 있다

주어진 단어와 be going to를 이용하여 우리말에 맞게 영작하세요. (부정문은 be동사와 not을 줄여 쓸 것)

1 우리는 배드민턴을 칠 것이다. (play, badminton)

We	are going to	play	badminton.
우리는	칠 것이다		배드민턴을

2 엄마와 나는 야구 경기를 볼 것이다. (watch, a baseball game)

엄마와 나는	볼 것이다	야구 경기를

3 Tom은 중국어를 배울 것이다. (learn, Chinese)

Tom은	배울 것이다	중국어를

4 그들은 우리를 방문하지 않을 것이다. (visit)

그들은	방문하지 않을 것이다	우리를

5 우리는 그 자전거를 사지 않을 것이다. (buy, the bike)

우리는	사지 않을 것이다	그 자전거를

6 너는 저녁을 먹을 거니? (have, dinner)

	너는	먹을 거니	저녁을

7 그녀가 너를 도울 예정이니? (help)

	그녀가	도울 예정이니	너를

John의 주말 계획을 보고 **be going to**를 이용하여 John에 관한 문장을 완성하세요.
(부정문은 줄임말로 쓸 것)

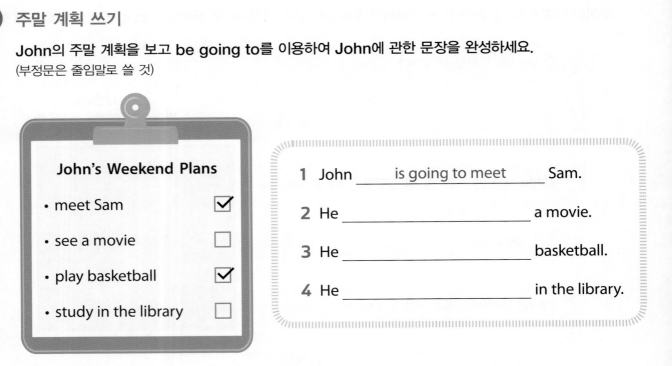

John's Weekend Plans

- meet Sam ☑
- see a movie ☐
- play basketball ☑
- study in the library ☐

1 John _____ is going to meet _____ Sam.

2 He _____ a movie.

3 He _____ basketball.

4 He _____ in the library.

B 내일 계획 묻고 답하기

주어진 단어와 **be going to**를 이용하여 메신저 대화를 완성하세요.

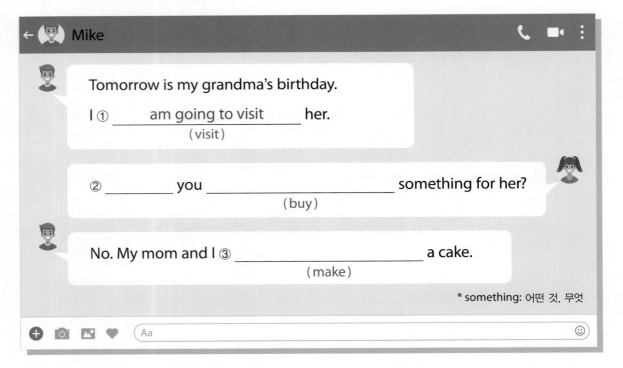

← Mike

Tomorrow is my grandma's birthday.

I ① _____ am going to visit _____ her.
　　　　　(visit)

② _____ you _____ something for her?
　　　　　　　　　　　(buy)

No. My mom and I ③ _____ a cake.
　　　　　　　　　　　　　(make)

* something: 어떤 것, 무엇

Aa ☺

Answers p.7

1 빈칸에 들어갈 말로 알맞은 것을 고르세요.

> Jina and I _____ in the same club last year.

① am ② are

③ is ④ was

⑤ were

2 대화의 빈칸에 들어갈 말이 바르게 짝 지어진 것을 고르세요.

> A _____ you at home yesterday?
> B No, I _____.

① Are – am not

② Are – aren't

③ Was – wasn't

④ Were – wasn't

⑤ Were – weren't

3 동사의 과거형이 잘못된 것을 고르세요.

① cut – cut

② cry – cried

③ stop – stoped

④ sing – sang

⑤ dance – danced

4 우리말을 영어로 바르게 옮긴 것을 고르세요.

> John은 피자를 먹지 않았다.

① John does not eat pizza.

② John ate not pizza.

③ John wasn't eat pizza.

④ John didn't eat pizza.

⑤ John didn't ate pizza.

도전문제
5 밑줄 친 부분이 바르게 쓰인 것을 고르세요.

① I <u>bought</u> a book last week.

② We <u>go</u> swimming yesterday.

③ Kevin didn't <u>played</u> soccer.

④ Did she <u>came</u> home early?

⑤ <u>Were</u> you meet Sam last Sunday?

6 빈칸에 들어갈 말로 알맞은 것을 고르세요.

> Amy _____ to the museum tomorrow. Amy는 내일 박물관에 갈 것이다.

① go ② going

③ went ④ goes

⑤ will go

7 빈칸에 들어갈 말이 바르게 짝 지어진 것을 고르세요.

> • I won't _____ⓐ_____ late for school.
> • Lisa _____ⓑ_____ going to ride her bike.

	ⓐ	ⓑ		ⓐ	ⓑ
①	am	– is	②	was	– does
③	be	– is	④	wasn't	– will
⑤	be	– will			

8 밑줄 친 부분이 잘못된 것을 고르세요.

① Will you help her?

② Is Tom going join us?

③ I'm going to eat a hamburger.

④ She will go to Paris this summer.

⑤ Kevin will not go camping with us.

서술형

9 주어진 동사를 알맞은 형태로 써서 문장을 완성하세요.

> We _____ to the park yesterday.
> We _____ happy there. (go, be)
> 우리는 어제 공원에 갔었다. 우리는 그곳에서 행복했다.

10 우리말에 맞게 주어진 단어를 바르게 배열하여 문장을 완성하세요.

> 나는 방과 후에 농구를 할 것이다.

→ I _____
after school. (basketball, will, play)

11 대화의 빈칸에 알맞은 말을 쓰세요.

> A _____ you going to see a movie tonight?
> 너희는 오늘 밤에 영화를 볼 거니?
> B No, we _____.
> 아니, 안 볼 거야.

12 주어진 문장을 부정문으로 바꿔 쓰세요.

> Andy bought a new shirt.

_____

06

조동사 can

Point 1 can과 be able to

Point 2 can의 부정문과 의문문

- 조동사는 동사를 도와서 의미를 더해 주는 말이에요. 조동사 can은 '~할 수 있다'라는 의미를 나타내요.

She can jump high.
그녀는 높이 뛸 수 있다.

Point 1 can과 be able to

1 조동사 can

조동사 can은 '~할 수 있다'와 '~해도 된다'라는 두 가지 의미가 있어요. can 뒤에는 동사원형이 와요.

~할 수 있다 (능력)	I can play the piano.	나는 피아노를 칠 수 있다.
~해도 된다 (허가)	You can sit here.	너는 여기에 앉아도 된다.

2 be able to

'~할 수 있다'라는 의미의 can은 「be able to+동사원형」으로 바꿔 쓸 수 있어요. 이때 be동사는 주어에 따라 am/are/is로 써요.

I am able to swim well. = I **can** swim well.　　　나는 수영을 잘할 수 있다.
She is able to play tennis. = She **can** play tennis.　　그녀는 테니스를 칠 수 있다.

> **조심해요!** 조동사는 주어의 인칭과 수에 상관없이 항상 같은 형태로 써요.
> He <u>cans</u> play soccer. (X)　　　He can play soccer. (O)

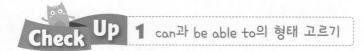

Check Up 1 can과 be able to의 형태 고르기

괄호 안에서 알맞은 것을 고르세요.

1 He can ((swim) / swims).

2 Tom (cans / can) play the guitar.

3 You can (eat / eating) my candy.

4 The girl (is / are) able to read a map.

5 They are able (help / to help) us.

다음 문장에서 밑줄 친 **can**의 의미로 알맞은 것에 체크(✔)하세요.

		～할 수 있다 (능력)	～해도 된다 (허가)
1	I <u>can</u> play tennis.	✔	
2	He <u>can</u> skate well.		
3	You <u>can</u> use my phone.		
4	She <u>can</u> speak two languages.		
5	You <u>can</u> wear my jacket.		

Check Up 3 be able to의 알맞은 형태 쓰기

두 문장의 의미가 같도록 **be able to**를 이용하여 알맞은 말을 쓰세요. (be동사의 형태를 바꿀 것)

1 Mom can sing well.

→ Mom _____is_____ _____able_____ _____to_____ sing well.

2 They can fix this car.

→ They _____ _____ _____ fix this car.

3 She can drive.

→ She _____ _____ _____ drive.

4 Cheetahs can run really fast.

→ Cheetahs _____ _____ _____ run really fast.

5 I can speak Japanese.

→ I _____ _____ _____ speak Japanese.

Point 2 can의 부정문과 의문문

1 can의 부정문

can의 부정문은 「주어+cannot+동사원형 ~.」의 형태이며, cannot은 can't로 줄여 쓸 수 있어요.
cannot의 의미는 다음과 같아요.

| ~할 수 없다 (능력) | I cannot (= can't) play the piano. | 나는 피아노를 못 친다. |
| ~하면 안 된다 (허가) | You cannot (= can't) sit here. | 너는 여기에 앉으면 안 된다. |

cf. cannot은 can과 not을 띄어 쓰지 않고 붙여 써요.
I can not play golf. (X)   I cannot play golf. (O)

2 can의 의문문

can의 의문문은 「Can+주어+동사원형 ~?」의 형태이며, 의미는 다음과 같아요.

~할 수 있니? (능력)	Can he play the piano?	그는 피아노를 칠 수 있니?
~해도 될까? (허가)	Can I borrow your book?	내가 너의 책을 빌려도 될까?
~해 주겠니? (요청)	Can you close the door?	문을 좀 닫아 주겠니?

> **더 알아봐요!** can의 의문문에 대해 대답할 때는 「Yes, 주어+can.」 또는 「No, 주어+can't.」로 말해요.
> 단, 허락을 구하는 말이나 요청하는 말에 대해 대답할 때는 Sure. / Okay. 나 Sorry. 등으로
> 다양하게 말할 수 있어요.

Check Up 1 can의 부정문과 의문문의 형태 고르기

괄호 안에서 알맞은 것을 고르세요.

1 He (not can / cannot) come to the meeting.

2 Jina (can not / cannot) call us now.

3 Can he (ride / rides) a horse?

4 (Can I / I can) use your phone?

5 (Do you can / Can you) open the door, please?

다음 문장에서 밑줄 친 부분의 의미로 알맞은 것을 고르세요.

1 I <u>can't</u> move this sofa. It's too heavy.

☑ ~할 수 없다 (능력)

☐ ~하면 안 된다 (허가)

2 You <u>cannot</u> bring food in the theater.

☐ ~할 수 없다 (능력)

☐ ~하면 안 된다 (허가)

3 <u>Can</u> I sit here?

☐ ~할 수 있니? (능력)

☐ ~해도 될까? (허가)

4 <u>Can</u> you do this for me?

☐ ~해도 될까? (허가)

☐ ~해 주겠니? (요청)

5 <u>Can</u> we borrow this backpack?

☐ ~해도 될까? (허가)

☐ ~해 주겠니? (요청)

6 <u>Can</u> you help me, please?

☐ ~할 수 있니? (능력)

☐ ~해 주겠니? (요청)

7 We <u>can't</u> fix this old bike.

☐ ~할 수 없다 (능력)

☐ ~하면 안 된다 (허가)

8 We <u>can't</u> eat in the library.

☐ ~할 수 없다 (능력)

☐ ~하면 안 된다 (허가)

우리말에 맞게 주어진 단어를 빈칸에 알맞은 형태로 써서 문장을 완성하세요.

1 sing

He sings well. 그는 노래를 잘 부른다.

He ____can____ ____sing____ well. 그는 노래를 잘 부를 수 있다.

2 use

We use these chairs. 우리는 이 의자들을 사용한다.

We _____ _____ these chairs. 우리는 이 의자들을 사용해도 된다.

3 speak

She _____ _____ French. 그녀는 프랑스어를 말할 수 있다.

She is _____ _____ _____ French.

그녀는 프랑스어를 말할 수 있다.

4 do

I _____ _____ it alone. 나는 그것을 혼자 할 수 있다.

I am _____ _____ _____ it alone. 나는 그것을 혼자 할 수 있다.

5 swim

They _____ _____ here. 그들은 여기서 수영해도 된다.

They _____ _____ here. 그들은 여기서 수영하면 안 된다.

6 take

We _____ _____ pictures here. 우리는 여기서 사진을 찍어도 된다.

We _____ _____ pictures here. 우리는 여기서 사진을 찍으면 안 된다.

7 watch

You _____ _____ TV now. 너는 지금 TV를 봐도 된다.

You _____ _____ TV now. 너는 지금 TV를 보면 안 된다.

사진을 보고 보기 에서 알맞은 말을 골라 문장을 완성하세요.

보기　skate　　eat　　go　　open　　make　　play

1

A ____Can____ he ____skate____ well?

B No, he can't.

2

A _____ we _____ now?

B Yes, you can.

3

A _____ I _____ the window?

B Sure.

4

A _____ she _____ the piano?

B Yes, she can.

5

A _____ you _____ spaghetti?

B No, I can't.

6

A _____ they _____ camping tomorow?

B Yes, they can.

밑줄 친 부분이 우리말에 맞으면 O, 틀리면 X 표를 한 후 틀린 부분을 바르게 고쳐 쓰세요.

1 I <u>can</u> ride a bike.
나는 자전거를 탈 수 없다.

X → can't

2 He <u>be</u> able to buy the car.
그는 그 차를 살 수 있다.

☐ → ☐

3 You <u>can't</u> leave early.
너는 일찍 떠나도 된다.

☐ → ☐

4 Can she <u>comes</u> now?
그녀는 지금 올 수 있니?

☐ → ☐

5 He is able to <u>speaks</u> French.
그는 프랑스어를 말할 수 있다.

☐ → ☐

6 We are able <u>finish</u> it today.
우리는 오늘 그것을 끝낼 수 있다.

☐ → ☐

7 Can I <u>used</u> these towels?
내가 이 수건들을 사용해도 되니?

☐ → ☐

8 <u>Can</u> you see without glasses?
너는 안경 없이 볼 수 있니?

☐ → ☐

WORD BANK   leave 떠나다, 가다   French 프랑스어   towel 수건   without ~ 없이

주어진 단어를 이용하여 우리말에 맞게 영작하세요. (필요한 경우 단어의 형태를 바꿀 것)

1 나는 영어를 잘 **말할 수 있다.** (speak, can, well, English)

I	can ┆ speak	English	well.
나는	말할 수 있다	영어를	잘

2 너는 파티에 **올 수 있니?** (come, Can, to the party)

할 수 있니	너는	오다	파티에

3 그녀는 우리를 **도울 수 있다.** (help, be able to)

그녀는	도울 수 있다	우리를

4 그들은 이것을 **끝낼 수 있다.** (finish, be able to, this)

그들은	끝낼 수 있다	이것을

5 내가 너의 연필을 **빌려도 될까?** (borrow, your pencil, Can)

해도 될까	내가	빌리다	너의 연필을

6 그들은 일찍 **집에 가도 된다.** (early, can, go home)

그들은	집에 가도 된다	일찍

7 너는 여기서 사진을 **찍으면 안 된다.** (take, can't, pictures, here)

너는	찍으면 안 된다	사진을	여기서

서술형 WRITING

A 조동사 can으로 대화 완성하기

사진을 보고 주어진 단어와 **can**을 이용하여 대화를 완성하세요.

1
A Is your sister a cook?

B Yes. She ____can____ ____make____ delicious pasta. (make)

* delicious: 맛있는

2
A Did the concert start?

B Yes. You _____ _____ now. (enter)

* enter: 들어가다

3
A _____ you _____ the guitar for us? (play)

B Sorry, I can't. I can't play the guitar well.

B 할 수 있는 것과 할 수 없는 것 말하기

표를 보고 주어진 단어를 이용하여 **Henry**에 관한 문장을 완성하세요.

Henry가 할 수 있는 것	Henry가 할 수 없는 것
• 자전거 타기 (ride) • 중국어 말하기 (speak)	• 케이크 만들기 (make) • 자동차 운전하기 (drive)

1 Henry _____can ride_____ a bike.

2 He _____ Chinese.

3 He _____ a cake.

4 He _____ a car.

07

조동사 must, have to

Point 1   must와 have to

Point 2   must와 have to의 부정문

- 조동사 must는 '~해야 한다'라는 의미를 나타내요.

I must wear a helmet.
나는 헬멧을 **써야 한다.**

point 1 must와 have to

1 조동사 must

조동사 must는 '~해야 한다'와 '~임에 틀림없다'라는 두 가지 의미가 있어요. must 뒤에는 동사원형이 와요.

~해야 한다 (의무)	We must stop at a red light.	우리는 빨간 불에서 **멈춰야** 한다.
~임에 틀림없다 (추측)	It must be true.	그것은 사실임에 **틀림없다.**

2 have to

'~해야 한다'라는 의미의 must는 「have to+동사원형」으로 바꿔 쓸 수 있어요. 이때 주어가 3인칭 단수이면 has to로 써요.

> You have to go now. = You **must** go now. 너는 지금 가야 한다.
> She has to clean her room. = She **must** clean her room. 그녀는 방을 청소해야 한다.

> 조심해요! 조동사 must 뒤에 be동사가 올 때는 am/are/is가 아니라 원형인 be를 써야 해요.
> You must <u>are</u> smart. (X)   You must <u>be</u> smart. (O)

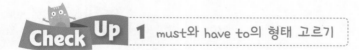

Check Up 1 must와 have to의 형태 고르기

괄호 안에서 알맞은 것을 고르세요.

1 He must (study / studies) for the test.

2 I (have / must) get up early tomorrow.

3 Mom must (to work / work) this Saturday.

4 You (have / must) to answer this question.

5 The little boys must (are / be) hungry.

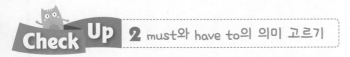

Check Up 2 must와 have to의 의미 고르기

다음 문장에서 밑줄 친 부분의 의미로 알맞은 것에 체크(✓)하세요.

		～해야 한다 (의무)	～임에 틀림없다 (추측)
1	They <u>must</u> do it now.	✓	
2	I <u>must</u> go now.		
3	It <u>must</u> be expensive.		
4	We <u>have to</u> leave soon.		
5	They <u>must</u> be farmers.		

Check Up 3 have to의 알맞은 형태 쓰기

두 문장의 의미가 같도록 **have to**나 **has to**를 이용하여 빈칸에 알맞은 말을 쓰세요.

1 　I must go home now.

→ I ___have___ ___to___ ___go___ home now.

2 　You must wait here.

→ You _____ _____ _____ here.

3 　He must call his mom now.

→ He _____ _____ _____ his mom now.

4 　She must wear a helmet.

→ She _____ _____ _____ a helmet.

5 　We must listen carefully.

→ We _____ _____ _____ carefully.

Point 2 must와 have to의 부정문

1 must의 부정문

must의 부정문은 「주어+must not+동사원형 ~.」의 형태이며, '~하면 안 된다'라는 의미예요.

~하면 안 된다 (금지)	You must not use your phone in class. 너는 수업 시간에 전화기를 사용하면 안 된다.

2 have to의 부정문

have to의 부정문은 「주어+don't have to+동사원형 ~.」의 형태이며, '~할 필요가 없다'라는 의미예요. 이때 주어가 3인칭 단수이면 doesn't have to로 써요.

~할 필요가 없다 (불필요)	We don't have to go to school today. 우리는 오늘 학교에 갈 필요가 없다.

조심해요! must와 have to는 부정문이 되면 의미가 달라진다는 점에 주의하세요.
You must not cross the road here. 너는 여기서 길을 건너면 안 된다.
You don't have to cross the road here. 너는 여기서 길을 건널 필요가 없다.

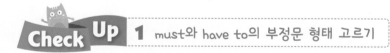

Check Up 1 must와 have to의 부정문 형태 고르기

괄호 안에서 알맞은 것을 고르세요.

1 She (don't / (doesn't)) have to go there tomorrow.

2 You (not must / must not) play soccer here.

3 They don't have (to buy / buy) this now.

4 We must (not talk / talk not) here.

5 He (doesn't must / must not) ride his bike here.

Check Up 2 must와 have to의 부정문 의미 고르기

다음 문장에서 밑줄 친 부분의 의미로 알맞은 것에 체크(✓)하세요.

		~하면 안 된다 (금지)	~할 필요가 없다 (불필요)
1	They <u>must not</u> come.	✓	
2	He <u>doesn't have to</u> call her.		
3	You <u>must not</u> eat here.		
4	We <u>don't have to</u> run.		
5	We <u>must not</u> swim in this river.		

Check Up 3 must와 have to의 부정문 완성하기

밑줄 친 부분에 유의하여 다음 문장을 부정문으로 바꿀 때 빈칸에 알맞은 말을 쓰세요.

1 You <u>must stay</u> here. 너는 여기에 머물러야 한다.

→ You ___must___ ___not___ ___stay___ here. 너는 여기에 머무르면 안 된다.

2 We <u>have to watch</u> this movie. 우리는 이 영화를 봐야 한다.

→ We _____ _____ _____ _____ this movie. 우리는 이 영화를 볼 필요가 없다.

3 They <u>must read</u> this book. 그들은 이 책을 읽어야 한다.

→ They _____ _____ _____ this book. 그들은 이 책을 읽으면 안 된다.

4 He <u>has to leave</u> tomorrow. 그는 내일 떠나야 한다.

→ He _____ _____ _____ _____ tomorrow. 그는 내일 떠날 필요가 없다.

5 I <u>must go</u> outside now. 나는 지금 밖에 나가야 한다.

→ I _____ _____ _____ outside now. 나는 지금 밖에 나가면 안 된다.

우리말에 맞게 must 또는 have to를 이용하여 문장을 완성하세요.

1

I ___must___ run. 나는 뛰어야 한다.

I ___must___ ___not___ run. 나는 뛰면 안 된다.

2

He _____ _____ meet her. 그는 그녀를 만나야 한다.

He _____ _____ to meet her. 그는 그녀를 만날 필요가 없다.

3

We _____ _____ wait here. 우리는 여기서 기다리면 안 된다.

We _____ _____ _____ wait here. 우리는 여기서 기다릴 필요가 없다.

4

He _____ see this. 그는 이것을 봐야 한다.

He _____ _____ see this. 그는 이것을 보면 안 된다.

5

She _____ finish it. 그녀는 그것을 끝내야 한다.

She _____ _____ to finish it. 그녀는 그것을 끝낼 필요가 없다.

6

You _____ _____ wear a mask. 너는 마스크를 쓰면 안된다.

You _____ _____ _____ wear a mask. 너는 마스크를 쓸 필요가 없다.

7

They _____ come now. 그들은 지금 와야 한다.

They _____ _____ come now. 그들은 지금 오면 안 된다.

사진을 보고 보기 에서 알맞은 말을 골라 must 또는 must not을 이용하여 문장을 완성하세요.

> 보기   ~~wear~~   finish   talk   use   swim   wash

1

We _____must wear_____ a helmet.

2

You _____ here.

3

You _____ your
hands well.

4

You _____ loudly.

5

He _____ his
homework now.

6

You _____ this
computer.

주어진 단어를 이용하여 다음 문장을 부정문으로 바꿔 쓰세요.

1 You must leave now.

→ You must not leave now. _____ (must)

2 He must buy them.

→ _____ (must)

3 You must sleep now.

→ _____ (must)

4 You must close the door.

→ _____ (must)

5 We have to take a taxi.

→ _____ (have to)

6 She has to wear glasses.

→ _____ (have to)

7 He has to know the truth.

→ _____ (have to)

WORD BANK   leave 떠나다, 가다   take a taxi 택시를 타다   glasses 안경   truth 진실

주어진 단어를 이용하여 우리말에 맞게 영작하세요.

1 너는 여기서 전화기를 **사용하면 안 된다.** (use, must, here, your phone)

You	must not ┆ use	your phone	here.
너는	사용하면 안 된다	너의 전화기를	여기서

2 우리는 지금 그 일을 **해야 한다.** (must, the work, do, now)

	┆		
우리는	해야 한다	그 일을	지금

3 너는 그 진실을 **알 필요가 없다.** (know, have to, the truth)

	┆	
너는	알 필요가 없다	그 진실을

4 그는 그 버스를 **타야 한다.** (take, the bus, have to)

	┆	
그는	타야 한다	그 버스를

5 그들은 이 강에서 **수영하면 안 된다.** (in this river, swim, must)

	┆	
그들은	수영하면 안 된다	이 강에서

6 나는 오늘 학교에 **갈 필요가 없다.** (to school, have to, today, go)

	┆		
나는	갈 필요가 없다	학교에	오늘

7 그녀는 숙제를 **끝낼 필요가 없다.** (finish, have to, her homework)

	┆	
그녀는	끝낼 필요가 없다	그녀의 숙제를

서술형 WRITING

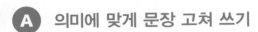

A 의미에 맞게 문장 고쳐 쓰기

자연스러운 의미가 되도록 보기 에서 알맞은 말을 골라 밑줄 친 부분을 바르게 고쳐 쓰세요.

> 보기   ~~don't have to~~   must not   must

1   It's Sunday. We <u>have to</u> go to school today.

→ It's Sunday. We ____don't have to____ go to school today.

2   The girl is crying. She <u>has to</u> be sad.

→ The girl is crying. She _____ be sad.

3   You <u>don't have to</u> use your phone in class.

→ You _____ use your phone in class.

B 수영장 규칙 포스터 완성하기

주어진 단어와 **must, must not**을 이용하여 수영장 규칙 포스터를 완성하세요.

POOL RULES

1 You ____must not dive____ into the pool.
(dive)   * dive: 뛰어들다, 다이빙하다

2 You _____ your swimming cap.
(wear)

3 You _____ around the pool.
(run)

4 You _____ in the pool.
(eat)

08

의문사 1

Point 1   의문사의 종류와 의미

Point 2   의문사가 있는 의문문 만들기

Point 3   의문사 who, what

- 의문사란 '누가, 언제, 어디서, 무엇을, 어떻게, 왜'라고 묻고 싶을 때 쓰는 말이에요. 의문사는 문장의 맨 앞에 와요.

Who do you like?
너는 **누구를** 좋아하니?

What do you like?
너는 **무엇을** 좋아하니?

의문사의 종류와 의미

1 의문사는 '누가, 언제, 어디서, 무엇을, 어떻게, 왜'와 같이 구체적인 내용을 묻는 말이에요. 의문사의 종류는 다음과 같아요.

who	누구	Who is he?	그는 **누구**니?
what	무엇	What is your name?	너의 이름은 **무엇**이니?
when	언제	When is her birthday?	그녀의 생일은 **언제**니?
where	어디서	Where are you from?	너는 **어디**에서 왔니?
how	어떻게	How do you go to school?	너는 학교에 **어떻게** 가니?
why	왜	Why are you angry?	너는 **왜** 화가 나 있니?

2 의문사가 있는 의문문에는 Yes나 No로 답하지 않고 구체적인 내용으로 대답해요.

> **A** Where **do you live?**   너는 어디에 사니?
> **B** I live in Seoul.   나는 서울에 살아.

> **A** What **do you need?**   너는 무엇이 필요하니?
> **B** I need a pencil.   나는 연필이 필요해.

 **1** 의문사의 의미 연결하기

우리말에 맞는 의문사를 골라 연결하세요.

1 누구	•	•	ⓐ how
2 언제	•	•	ⓑ where
3 어디서	•	•	ⓒ why
4 무엇	•	•	ⓓ who
5 왜	•	•	ⓔ when
6 어떻게	•	•	ⓕ what

우리말에 맞게 괄호 안에서 알맞은 것을 고르세요.

1 너는 **무엇을** 공부하니? → (**What** / Why) do you study?

2 너는 **어떻게** 집에 가니? → (How / What) do you go home?

3 너는 **언제** 아침을 먹니? → (Why / When) do you have breakfast?

4 그녀는 **어디에** 있니? → (Why / Where) is she?

5 그는 **왜** 슬프니? → (Who / Why) is he sad?

6 네가 가장 좋아하는 배우는 **누구**니? → (Who / When) is your favorite actor?

Check Up 3 알맞은 의문사 쓰기

우리말에 맞게 빈칸에 알맞은 말을 쓰세요.

1 그들은 **누구**니? → _____Who_____ are they?

2 그것은 **무엇**이니? → _____ is it?

3 그의 생일은 **언제**니? → _____ is his birthday?

4 너는 그를 **어떻게** 아니? → _____ do you know him?

5 그녀는 **왜** 바쁘니? → _____ is she busy?

6 Kevin은 **어디에서** 왔니? → _____ is Kevin from?

의문사가 있는 의문문 만들기

1 의문사를 넣어 의문문을 만들 때는 의문사를 문장의 맨 앞에 써요.

(1) **be동사가 있는 경우:** 「의문사+be동사+주어 ~?」의 형태이며, be동사는 주어에 따라 am/are/is를 써요.

| He **is** your teacher. | 그는 너의 선생님이다. | 〈평서문〉 |

| **Is** — he your teacher? | 그는 너의 선생님이니? | 〈의문사가 없는 의문문〉 |

| Who — **is** — he? | 그는 **누구**니? | 〈의문사가 있는 의문문〉 |

(2) **일반동사가 있는 경우:** 「의문사+do/does+주어+동사원형 ~?」의 형태이며, 주어가 3인칭 단수일 때 의문사 뒤에 does를 써요.

| You like pizza. | 너는 피자를 좋아한다. | 〈평서문〉 |

| **Do** — you like pizza? | 너는 피자를 좋아하니? | 〈의문사가 없는 의문문〉 |

| What — **do** — you like? | 너는 **무엇**을 좋아하니? | 〈의문사가 있는 의문문〉 |

2 의문사 뒤에 오는 be동사나 do동사는 주어에 따라 그 형태가 달라져요.

주어가 단수일 때	What is **it**?	그것은 무엇이니?	〈주어: it〉
	What does **he** like?	그는 무엇을 좋아하니?	〈주어: he〉
주어가 복수일 때	Who are **they**?	그들은 누구니?	〈주어: they〉
	What do **they** like?	그들은 무엇을 좋아하니?	〈주어: they〉

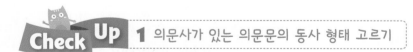 **Check Up 1** 의문사가 있는 의문문의 동사 형태 고르기

괄호 안에서 알맞은 것을 고르세요.

1 What (**is** / are) this?

2 Who (do / does) he like?

3 Who (is / are) those women?

4 What (do / does) he want?

5 When (is / are) Amy's birthday?

6 Where (do / does) you play soccer?

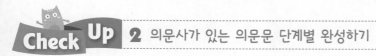
우리말에 맞게 의문문을 완성하세요.

1 그것은 고양이야.　　　　　　　　　　　　It is a cat.

　　그것은 고양이니?　　　　　　　[Is] it a cat?

　　그것은 **무엇**이니?　　　　[What] [is] it?

2 그녀는 너의 반 친구야.　　　　　　　　　She is your classmate.

　　그녀는 너의 반 친구이니?　　　　[ ] she your classmate?

　　그녀는 **누구**니?　　　　[ ] [ ] she?

3 이것들은 Kate를 위한 선물이야.　　　　These are gifts for Kate.

　　이것들은 Kate를 위한 선물이니?　　[ ] these gifts for Kate?

　　이것들은 **무엇**이니?　　　[ ] [ ] these?

4 그들은 Tom의 사촌이야.　　　　　　　They are Tom's cousins.

　　그들은 Tom의 사촌이니?　　　[ ] they Tom's cousins?

　　그들은 **어디에** 있니?　　　[ ] [ ] they?

5 그는 프랑스어를 배워.　　　　　　　　He learns French.

　　그는 프랑스어를 배우니?　　　[ ] he learn French?

　　그는 **왜** 프랑스어를 배우니?　[ ] [ ] he learn French?

6 그들은 영화를 보러 간다.　　　　　　They go to the movies.

　　그들은 영화를 보러 가니?　　　[ ] they go to the movies?

　　그들은 **언제** 영화를 보러 가니?　[ ] [ ] they go to the movies?

point 3 의문사 who, what

1 의문사 who

의문사 who는 '누구, 누구를'이라는 의미로, 사람에 대해 물을 때 쓰는 말이에요.

A	Who is she?	그녀는 **누구**시니?
B	She's my mom.	그녀는 우리 엄마셔.
A	**Who** do you like?	너는 **누구를** 좋아하니?
B	I like Jenny.	나는 Jenny를 좋아해.

2 의문사 what

의문사 what은 '무엇, 무엇을'이라는 의미로, 사물에 대해 물을 때 쓰는 말이에요.

A	What are these?	이것들은 **무엇**이니?
B	They are gifts for you.	그것들은 너를 위한 선물이야.
A	**What** do you want for lunch?	너는 점심으로 **무엇을** 원하니?
B	I want a sandwich.	나는 샌드위치를 원해.

cf. what은 뒤에 명사가 오면 '무슨, 어떤'이라는 의미를 나타내요.
A What **sport** do you like? 너는 무슨 운동을 좋아하니?
B I like baseball. 나는 야구를 좋아해.

> **조심해요!** be동사나 do동사는 뒤에 오는 주어에 맞게 써야 해요.
> Who <u>is</u> they? (X)   Who <u>are</u> they? (O)   〈주어: they〉
> What <u>do</u> he see? (X)   What <u>does</u> he see?O)   〈주어: he〉

Check Up 1 알맞은 의문사 고르기

우리말에 맞게 빈칸에 알맞은 것에 체크(✓)하세요.

1	_____ is your favorite singer? 네가 가장 좋아하는 가수는 누구니?	☑ Who	☐ What
2	_____ is your nickname? 너의 별명은 무엇이니?	☐ Who	☐ What
3	_____ do you teach? 당신은 누구를 가르치나요?	☐ Who	☐ What
4	_____ color does he like? 그는 무슨 색깔을 좋아하니?	☐ Who	☐ What

Check Up **2** 의문사가 있는 의문문의 동사 형태 고르기

괄호 안에서 알맞은 것을 고르세요.

1
Who (is / are) that girl?

Who (is / are) those children?

2
Who (is / are) your English teacher?

Who (is / are) your best friends?

3
What (is / are) her name?

What (is / are) their jobs?

4
What (do / does) you want?

What (do / does) she want?

5
What (do / does) we need?

What (do / does) he need?

6
What sport (do / does) they play?

What fruit (do / does) he like?

Check Up **3** 알맞은 의문사 쓰기

질문에 대한 대답을 보고 빈칸에 **who** 또는 **what** 중 알맞은 의문사를 쓰세요.

1  A _____Who_____ is that woman? B She is Ms. White.

2 A _____ is his phone number? B It's 123-4567.

3 A _____ does Emily love? B She loves her parents.

4 A _____ are they? B They're my toys.

5 A _____ are the boys? B They're my brothers.

6 A _____ season do you like? B I like summer.

우리말에 맞게 의문사 who 또는 what을 이용하여 문장을 완성하세요.

1
Do you like apples?
너는 사과를 좋아하니?

_____What_____ _____do_____ you _____like_____ ?
너는 **무엇을** 좋아하니?

2
Is he your best friend?
그는 너의 가장 친한 친구니?

_____ _____ your best friend?
너의 가장 친한 친구는 **누구니**?

3
Do you eat bread for breakfast?
너는 아침으로 빵을 먹니?

_____ _____ you _____ for breakfast?
너는 아침으로 **무엇을** 먹니?

4
Are they good basketball players?
그들은 잘하는 농구 선수들이니?

_____ _____ good basketball players?
잘하는 농구 선수들은 **누구니**?

5
Is this your phone number?
이것이 너의 전화번호니?

_____ _____ your phone number?
너의 전화번호는 **무엇이니**?

6
Do they help their parents every day?
그들은 매일 부모님을 도와드리니?

_____ _____ they _____ every day?
그들은 매일 **누구를** 도와드리니?

7
Is it your favorite movie?
그것은 네가 가장 좋아하는 영화니?

_____ _____ your favorite movie?
네가 가장 좋아하는 영화는 **무엇이니**?

사진을 보고 의문사 **who** 또는 **what**을 이용하여 문장을 완성하세요. (주어진 단어를 이용할 것)

1

A ___Who___ ___is___ the boy in this picture? (be)

B He's my cousin, Jack.

2

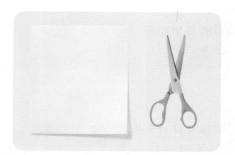

A _____ _____ he _____ for his homework? (need)

B He needs paper and scissors.

3

A _____ _____ her job? (be)

B She's a police officer.

4

A _____ _____ they _____ every weekend? (visit)

B They visit their grandparents.

5

A _____ _____ she _____ to? (listen)

B She listens to the radio.

6

A _____ _____ you _____ for Christmas? (want)

B I want a pair of gloves.

밑줄 친 부분이 우리말에 맞으면 O, 틀리면 X 표를 한 후 틀린 부분을 바르게 고쳐 쓰세요.

1 Who <u>is</u> you?
너는 누구니?

X → are

2 Where <u>does</u> you live?
너는 어디에 사니?

☐ →

3 <u>Who</u> do you do after school?
너는 방과 후에 무엇을 하니?

☐ →

4 When <u>do</u> he go swimming?
그는 언제 수영하러 가니?

☐ →

5 <u>What</u> are these boys?
이 소년들은 누구니?

☐ →

6 Who <u>do</u> they like most?
그들은 누구를 가장 좋아하니?

☐ →

7 <u>Who</u> is your favorite sport?
네가 가장 좋아하는 운동은 무엇이니?

☐ →

8 What <u>is</u> she usually do on weekends?
그녀는 보통 주말에 무엇을 하니?

☐ →

WORD BANK   after school 방과 후에   most 가장   usually 보통, 대개   on weekends 주말에

주어진 단어와 의문사 who, what을 이용하여 우리말에 맞게 영작하세요.

1 너는 마실 것으로 **무엇을** 원하니? (want, for a drink)

What	do	you	want	for a drink?
무엇을		너는	원하니	마실 것으로

2 너의 취미는 **무엇**이니? (your hobby)

무엇	이니	너의 취미는

3 그는 매일 **무엇을** 공부하니? (study, every day)

무엇을		그는	공부하니	매일

4 White 씨는 **누구를** 가르치시니? (Mr. White, teach)

누구를		White 씨는	가르치시니

5 **누가** 너의 영어 선생님이시니? (your English teacher)

누가	이니	너의 영어 선생님

6 너는 주말마다 **누구를** 만나니? (meet, every weekend)

누구를		너는	만나니	주말마다

7 네가 가장 좋아하는 동물은 **무엇**이니? (your favorite animal)

무엇	이니	네가 가장 좋아하는 동물은

서술형 WRITING

A 알맞은 의문사 쓰기

질문에 대한 대답을 보고 알맞은 의문사를 써서 질문을 완성하세요.

1

A ___Who___ ___is___ he?

B He's my dad. He's a doctor.

2

A _____ _____ this?

B It's a gift for my teacher.

3

A _____ _____ they?

B They're new students. They're from Canada.

B 사진 속 인물에 관해 묻기

우리말에 맞게 주어진 단어를 바르게 배열하여 질문을 쓰세요.

A ① 사진 속 키가 큰 남자는 누구니?

B He's my uncle.

A ② 그의 직업은 무엇이니?

B He's a cook.

① _____

(the tall man, is, in the picture, Who)

② _____

(is, his job, What)

09

의문사 2

Point 1 의문사 when, where
Point 2 의문사 why, how
Point 3 how+형용사/부사

- '시간, 장소, 이유, 방법' 등을 구체적으로 물을 때도 의문사를 사용할 수 있어요.

When does he play the piano?
그는 **언제** 피아노를 치니?

Where does he play soccer?
그는 **어디서** 축구를 하니?

1 의문사 when

의문사 when은 '언제'라는 의미로, 시간이나 날짜 등을 물을 때 쓰는 말이에요.

A	When is your birthday?	네 생일이 언제니?
B	It is May 1.	5월 1일이야.
A	When does the movie start?	그 영화는 언제 시작하니?
B	It starts at 4 p.m.	오후 4시에 시작해.

cf. 날짜를 쓸 때는 'It is May 1.'로 쓰고, 읽을 때는 'It is May first.'처럼 서수로 읽어야 해요.

2 의문사 where

의문사 where는 '어디서, 어디에'라는 의미로, 장소나 위치를 물을 때 쓰는 말이에요.

A	Where are your parents?	네 부모님은 어디에 계시니?
B	They are in the kitchen.	그분들은 부엌에 계셔.
A	Where do they live?	그들은 어디에 사니?
B	They live in New York.	그들은 뉴욕에 살아.

> 더 알아봐요! 구체적인 시각을 물을 때는 when 대신 what time을 쓸 수 있어요.
> A What time[When] do you get up? 너는 몇 시에[언제] 일어나니?
> B I get up at 7. 나는 7시에 일어나.

Check Up 1 알맞은 의문사 고르기

우리말에 맞게 빈칸에 알맞은 것에 체크(✔)하세요.

1	_____ is my bag? 내 가방이 어디에 있니?	☐ When	☑ Where
2	_____ is Halloween? 핼러윈이 언제니?	☐ When	☐ Where
3	_____ does the train arrive? 기차가 언제 도착하니?	☐ When	☐ Where
4	_____ does your cat sleep? 너의 고양이는 어디에서 자니?	☐ When	☐ Where
5	_____ do you have lunch? 너는 언제 점심을 먹니?	☐ When	☐ Where

질문에 대한 대답을 보고 빈칸에 when 또는 where 중 알맞은 의문사를 쓰세요.

1 A ____When____ is Christmas Day?   B It is December 25.

2 A _____ is the newspaper?   B It is on the table.

3 A _____ do you go to school?   B I go to school at 8:10.

4 A _____ is Kevin from?   B He is from Canada.

5 A _____ does the museum close?   B It closes at 7 p.m.

6 A _____ does the class start?   B It starts at 9 o'clock.

Check Up 3 의문사가 있는 의문문의 동사 형태 고르기

괄호 안에서 알맞은 것을 고르세요.

1 When (is / are) your birthday?   When (is / does) the store close?

2 Where (is / are) my book?   Where (is / are) your books?

3 Where (is / are) your house?   Where (is / are) your scissors?

4 What time (do / does) the bus leave?   What time (do / does) you leave?

5 Where (do / does) they study?   Where (do / does) she study?

Point 2 의문사 why, how

1 의문사 why

의문사 why는 '왜'라는 의미로, 이유나 원인을 물을 때 쓰는 말이에요.

A	Why is the baby crying?	아기가 **왜** 울고 있니?
B	Because he is hungry.	그는 배가 고프기 때문이야.
A	Why do you like winter?	너는 **왜** 겨울을 좋아하니?
B	Because I like snow.	나는 눈을 좋아하기 때문이야.

cf. why로 물을 때는 주로 because를 사용해서 대답하지만 생략하기도 해요.

2 의문사 how

의문사 how는 '어떤, 어떻게'라는 의미로, 상태나 방법, 수단을 물을 때 쓰는 말이에요.

A	How is the weather outside?	바깥 날씨가 **어떠니**?
B	It is very hot.	무척 더워.
A	How do you go to school?	너는 학교에 **어떻게** 가니?
B	I go to school by bus.	나는 버스를 타고 학교에 가.

더 알아봐요! 안부를 물을 때도 how를 사용해요.

A	How are you doing?	너는 **어떻게** 지내니?
B	Great. / Good.	잘 지내.

 **Check Up 1** 알맞은 의문사 고르기

우리말에 맞게 빈칸에 알맞은 것을 고르세요.

		Why	How
1	_____ is the food? 그 음식은 어떠니?	☐ Why	☑ How
2	_____ are you angry? 너는 왜 화가 나 있니?	☐ Why	☐ How
3	_____ are you doing? 너는 어떻게 지내니?	☐ Why	☐ How
4	_____ does he like her? 그는 그녀를 왜 좋아하니?	☐ Why	☐ How
5	_____ do you go there? 너는 거기에 어떻게 가니?	☐ Why	☐ How

질문에 대한 대답을 보고 빈칸에 **why** 또는 **how** 중 알맞은 의문사를 쓰세요.

1 **A** ___How___ are your parents?   **B** They are fine.

2 **A** _____ is the pizza?   **B** It is very delicious.

3 **A** _____ did you call Mike?   **B** Because I miss him.

4 **A** _____ is Jina so sad?   **B** Because her mom is sick.

5 **A** _____ do you go to work?   **B** I go to work by bus.

6 **A** _____ do you like Ted?   **B** Because he is kind.

Check Up 3 의문사가 있는 의문문의 동사 형태 고르기

괄호 안에서 알맞은 것을 고르세요.

1 How (is / are) the weather?   How (is / are) you doing?

2 How (do / does) they go to work?   How (do / does) your mom go to work?

3 Why (is / are) you so tired?   Why (are / do) you so happy?

4 Why (do / does) he like this song?   Why (do / does) you like this book?

5 How (do / does) they make this?   How (do / does) your sister make this?

Point 3 · how + 형용사/부사

나이, 기간, 거리, 가격 등을 물을 때 「의문사 how + 형용사/부사」 형태의 의문문을 써요.

how old	몇 살	**A** How old is your sister? **B** She is eight years old.	네 여동생은 **몇** 살이니? 그녀는 8살이야.
how tall	얼마나 키가 큰/높은	**A** How tall are you? **B** I am 145 cm tall.	너는 키가 **몇**이니? 나는 145센티미터야.
how often	얼마나 자주	**A** How often do you exercise? **B** Three times a week.	너는 **얼마나 자주** 운동하니? 일주일에 세 번 해.
how long	얼마나 오래/긴	**A** How long did you stay there? **B** For five days.	너는 **얼마나 오래** 거기에 머물렀니? 5일 동안.
how far	얼마나 멀리	**A** How far is your house? **B** It is 500 meters from the school.	너의 집은 **얼마나 머**니? 학교에서 500미터 거리야.
how many	얼마나 많은 (개수)	**A** How many cups do you have? **B** I have three.	너는 컵을 **몇 개** 가지고 있니? 나는 3개 가지고 있어.
how much	얼마나 많은 (양)	**A** How much salt do you need? **B** I need 10 grams.	너는 소금이 **얼마나** 필요하니? 나는 10그램이 필요해.
	얼마 (가격)	**A** How much is this bag? **B** It is 20 dollars.	이 가방은 **얼마**예요? 그것은 20달러예요.

cf. how many 뒤에는 셀 수 있는 명사가 오고, how much 뒤에는 셀 수 없는 명사가 와요.

Check Up 1 알맞은 의문사 고르기

우리말에 맞게 괄호 안에서 알맞은 것을 고르세요.

1 John은 키가 몇이니? → How (old / tall) is John?

2 극장은 얼마나 머니? → How (far / long) is the theater?

3 이 시계는 얼마입니까? → How (many / much) is this watch?

4 너는 얼마나 자주 패스트푸드를 먹니? → How (often / many) do you eat fast food?

빈칸에 알맞은 의문사를 고르세요.

1
A   _____ is your dad?

B   He is 40 years old.

☑ How old
☐ How long

2
A   _____ is the tower?

B   It is 20 meters tall.

☐ How tall
☐ How long

3
A   _____ are these shoes?

B   They are 50 dollars.

☐ How many
☐ How much

4
A   _____ is the park from here?

B   It is 300 meters from here.

☐ How tall
☐ How far

5
A   _____ milk did you drink?

B   I drank a glass of milk.

☐ How many
☐ How much

6
A   _____ is your vacation?

B   For two months.

☐ How old
☐ How long

7
A   _____ pens does she need?

B   She needs two pens.

☐ How much
☐ How many

8
A   _____ do you go swimming?

B   Three times a week.

☐ How often
☐ How much

의문사에 주의하여 우리말에 맞게 문장을 완성하세요.

1   Do you have lunch every day?
　　　 __When__ __do__ you have lunch?

너는 매일 점심을 먹니?
너는 언제 점심을 먹니?

2   Does she go to school?
　　　 ＿＿＿＿＿ ＿＿＿＿＿ she go to school?

그녀는 학교에 가니?
그녀는 어떻게 학교에 가니?

3   Is he angry?
　　　 ＿＿＿＿＿ ＿＿＿＿＿ he angry?

그는 화가 나 있니?
그는 왜 화가 나 있니?

4   Did you buy the new smartphone?
　　　 ＿＿＿＿＿ ＿＿＿＿＿ you buy the new smartphone?

너는 새 스마트폰을 샀니?
너는 어디서 새 스마트폰을 샀니?

5   ＿＿＿＿＿ ＿＿＿＿＿ is she?
　　　 ＿＿＿＿＿ ＿＿＿＿＿ is that basketball player?

그녀는 몇 살이니?
저 농구 선수는 키가 몇이니?

6   ＿＿＿＿＿ ＿＿＿＿＿ cats does he have?
　　　 ＿＿＿＿＿ ＿＿＿＿＿ sugar do you need?

그는 고양이를 몇 마리 가지고 있니?
너는 설탕이 얼마나 필요하니?

7   ＿＿＿＿＿ ＿＿＿＿＿ do they play the piano?
　　　 ＿＿＿＿＿ ＿＿＿＿＿ is your summer vacation?

그들은 얼마나 자주 피아노를 치니?
너의 여름 방학은 얼마나 기니?

사진을 보고 보기 에서 알맞은 말을 골라 문장을 완성하세요.

보기   ~~Where~~   Why   How often   How   How much   When

1

A __Where__ is my umbrella?

B It is next to the door.

2

A _____ _____ is this?

B It is 20 dollars.

3

A _____ do you like that movie?

B Because it is interesting.

4

A _____ is the weather today?

B It is cloudy.

5

A _____ do you usually take a shower?

B I usually take a shower after dinner.

6

A _____ _____ does he have piano lessons?

B Every day.

밑줄 친 부분이 우리말에 맞으면 O, 틀리면 X 표를 한 후 틀린 부분을 바르게 고쳐 쓰세요.

1 <u>When</u> is the library?
도서관은 **어디에** 있니?

X → Where

2 <u>Where</u> is your English test?
너의 영어 시험은 **언제**니?

→

3 <u>Why</u> does he go to work?
그는 **어떻게** 출근하니?

→

4 <u>How</u> do you study Chinese?
너는 **왜** 중국어를 공부하니?

→

5 How old <u>are</u> your dog?
너의 개는 **몇** 살이니?

→

6 How <u>far</u> do they go there?
그들은 **얼마나 자주** 거기에 가니?

→

7 How <u>many</u> time does she need?
그녀는 시간이 **얼마나** 필요하니?

→

8 How <u>many</u> books do you read?
너는 **얼마나 많은** 책을 읽니?

→

주어진 단어와 의문사를 이용하여 우리말에 맞게 영작하세요.

1 콘서트는 **언제** 시작하니? (the concert, begin)

When	does	the concert	begin?
언제		콘서트는	시작하니

2 너는 **왜** 축구를 좋아하니? (like, soccer)

왜		너는	좋아하니	축구를

3 버스 정류장이 **어디에** 있니? (the bus stop)

어디에	있니	버스 정류장이

4 수학 시험은 **어땠니?** (the math test, was)

어떤	였니	수학 시험은

5 그녀는 **얼마나 자주** 테니스 강습을 받니? (have, tennis lessons)

얼마나 자주		그녀는	받니	테니스 강습을

6 네 여동생은 **몇 살이니?** (your sister)

몇 살	이니	네 여동생은

7 우체국이 **얼마나 머니?** (the post office)

얼마나 멀리	있니	우체국이

서술형 WRITING

A 사진에 맞게 대화 완성하기

사진을 보고 보기 에서 알맞은 말을 골라 대화를 완성하세요.

보기   ~~How many~~   How tall   How much

1

A ___How___ ___many___ chairs are in the classroom?

B There are eight chairs.

2

$50

A _____ _____ is the shirt?

B It is 50 dollars.

3

A _____ _____ is your brother?

B He is 135 cm tall.

B 인물에 관한 정보 묻기

Andy가 할머니에 관해 쓴 글을 읽고, 보기 에서 알맞은 말을 골라 질문을 완성하세요.

보기   ~~How old~~   When   Where

My grandma is 80 years old.
She gets up at 6. She goes to
the park every morning. She is
healthy.

1 Q. ___How old___ is Andy's grandma?

A. She is 80 years old.

2 Q. _____ does she get up?

A. She gets up at 6.

3 Q. _____ does she go every morning?

A. She goes to the park.

Answers p.12

1 빈칸에 들어갈 말로 알맞은 것을 고르세요.

> Lisa _____ the piano very well.

① play
② can plays
③ cans play
④ can play
⑤ cans plays

2 대화의 빈칸에 들어갈 말로 알맞은 것을 고르세요.

> A _____ is the cute boy in this picture?
> B He is my friend, John.

① Who
② What
③ When
④ Where
⑤ Why

3 우리말을 영어로 바르게 옮긴 것을 고르세요.

> 그녀는 선물을 가져올 필요가 없다.

① She can bring a gift.
② She must bring a gift.
③ She must not bring a gift.
④ She has to bring a gift.
⑤ She doesn't have to bring a gift.

4 다음 문장을 우리말로 바르게 옮긴 것을 고르세요.

> You can go home now.

① 너는 지금 집에 가야 한다.
② 너는 지금 집에 가도 된다.
③ 너는 지금 집에 갈 수 없다.
④ 너는 지금 집에 갈 필요가 없다.
⑤ 너는 지금 집에 가면 안 된다.

5 빈칸에 공통으로 들어갈 말로 알맞은 것을 고르세요.

> • _____ is your phone number?
> • _____ do you want for dinner?

① Who
② What
③ When
④ Where
⑤ Why

도전문제
6 밑줄 친 부분이 잘못된 것을 고르세요.

① I <u>must study</u> hard.
② You <u>don't have to</u> leave now.
③ We <u>have to</u> listen to the teacher.
④ The new student <u>must be</u> a boy.
⑤ He has <u>to cleans</u> his room today.

7 다음 질문에 대한 대답으로 알맞은 것을 고르세요.

> Where do you live?

① I'm ten years old.

② I live in Seoul.

③ I get up at 7:30.

④ Because I'm sick.

⑤ I go to school by bus.

8 빈칸에 들어갈 말이 나머지와 <u>다른</u> 것을 고르세요.

① _____ old is your brother?

② _____ much is this cake?

③ _____ color do you like?

④ _____ far is your school?

⑤ _____ often do you play tennis?

서술형

[9-10] 두 문장의 의미가 같도록 밑줄 친 부분을 알맞은 표현으로 바꿔 쓰세요.

9
> Emily <u>can play</u> the violin.
> = Emily _____ _____ _____ _____ the violin.

10
> Paul <u>must finish</u> his homework today.
> = Paul _____ _____ _____ his homework today.

11 우리말에 맞게 주어진 단어를 바르게 배열하여 문장을 쓰세요.

> 너는 방과 후에 무엇을 하니?
>
> → _____?
> (do, after school, you, do, what)

12 다음 대화의 빈칸에 알맞은 말을 쓰세요.

> A _____ _____ are you?
> B I'm 150 cm tall.

비교급

- 두 개의 대상을 비교해서 하나가 다른 하나보다 어떠하다고 말할 때 비교급을 써요.

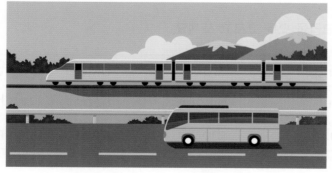

The train is longer than the bus.
기차는 버스보다 길다.

Point 1 · 비교급 만들기 (1)

1 비교급은 두 가지를 비교하여 '더 ~한, 더 ~하게'라는 의미를 나타낼 때 써요.

> Sam is **tall.**   Sam은 키가 크다.
>
> Sam is taller than Lisa.   Sam은 Lisa보다 키가 더 크다. 〈비교급〉

2 비교급을 만드는 규칙은 다음과 같아요.

대부분의 형용사/부사 -er			
long	긴 – longer	더 긴
short	짧은 – shorter	더 짧은
old	나이 든 – older	더 나이 든
small	작은 – smaller	더 작은
fast	빠른/빨리 – faster	더 빠른/빨리

-e로 끝나는 형용사/부사 -r			
large	큰 – larger	더 큰
wide	넓은 – wider	더 넓은
nice	좋은 – nicer	더 좋은
wise	현명한 – wiser	더 현명한
safe	안전한 – safer	더 안전한

「자음＋y」로 끝나는 형용사/부사 y→-ier			
happy	행복한 – happier	더 행복한
easy	쉬운 – easier	더 쉬운
busy	바쁜 – busier	더 바쁜
heavy	무거운 – heavier	더 무거운

「단모음＋단자음」으로 끝나는 형용사/부사 자음 추가＋-er			
big	큰 – bigger	더 큰
hot	뜨거운 – hotter	더 뜨거운
fat	뚱뚱한 – fatter	더 뚱뚱한
thin	얇은 – thinner	더 얇은

 **Check Up** **1** 비교급 고르기

보기 의 단어 중 비교급을 모두 고르고 쓰세요.

보기			
younger	large	bigger	thin
easier	longer	happy	heavier
small	shorter	hotter	nicer

_____younger_____   _____   _____   _____

_____   _____   _____   _____

주어진 형용사나 부사의 비교급을 쓰세요.

-er

비교급

1 | long 긴 | longer 더 긴

2 | small 작은 | 더 작은

3 | old 나이 든 | 더 나이 든

4 | young 어린 | 더 어린

5 | fast 빠른/빨리 | 더 빠른/빨리

6 | strong 힘센 | 더 힘센

-r

7 | safe 안전한 | 더 안전한

8 | large 큰 | 더 큰

9 | wise 현명한 | 더 현명한

10 | nice 멋진 | 더 멋진

-ier

11 | happy 행복한 | 더 행복한

12 | easy 쉬운 | 더 쉬운

13 | busy 바쁜 | 더 바쁜

14 | lazy 게으른 | 더 게으른

15 | heavy 무거운 | 더 무거운

16 | pretty 예쁜 | 더 예쁜

자음 +-er

17 | big 큰 | 더 큰

18 | fat 뚱뚱한 | 더 뚱뚱한

19 | thin 얇은 | 더 얇은

20 | hot 뜨거운 | 더 뜨거운

Point 2 비교급 만들기 (2)

1 긴 형용사나 부사를 비교급으로 만들 때는 단어 앞에 **more**를 써요.

beautiful	아름다운	–	more beautiful	더 아름다운
famous	유명한	–	more famous	더 유명한
interesting	재미있는	–	more interesting	더 재미있는
difficult	어려운	–	more difficult	더 어려운
expensive	비싼	–	more expensive	더 비싼
popular	인기 있는	–	more popular	더 인기 있는
slowly	느리게	–	more slowly	더 느리게
easily	쉽게	–	more easily	더 쉽게

2 비교급을 만드는 규칙을 따르지 않고 전혀 다른 형태로 바뀌는 단어도 있어요.

good	좋은	–	better	더 좋은	well	잘	–	better	더 잘
bad	나쁜	–	worse	더 나쁜	many / much	많은	–	more	더 많은

조심해요! 비교급을 만들 때 -er과 more를 함께 쓰지 않도록 주의하세요.
<u>more</u> older (X)   older (O)
more difficult<u>er</u> (X)   more difficult (O)

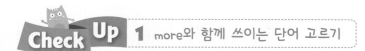

Check Up 1 more와 함께 쓰이는 단어 고르기

보기 의 단어 중 **more**를 붙여 비교급을 만드는 단어를 모두 고르고 쓰세요.

보기	
(difficult)	expensive
wise	heavy
famous	interesting
good	popular
beautiful	bad

more ___difficult___
more _____
more _____
more _____
more _____
more _____

주어진 형용사나 부사의 비교급을 쓰세요.

비교급   비교급

more +

1 difficult | more difficult
어려운 | 더 어려운

2 useful |
유용한 | 더 유용한

3 important |
중요한 | 더 중요한

4 exciting |
신나는 | 더 신나는

5 famous |
유명한 | 더 유명한

6 beautiful |
아름다운 | 더 아름다운

7 handsome |
잘생긴 | 더 잘생긴

8 slowly |
느리게 | 더 느리게

9 dangerous |
위험한 | 더 위험한

10 popular |
인기 있는 | 더 인기 있는

11 interesting |
재미있는 | 더 재미있는

12 expensive |
비싼 | 더 비싼

13 easily |
쉽게 | 더 쉽게

14 careful |
조심하는 | 더 조심하는

15 delicious |
맛있는 | 더 맛있는

16 comfortable |
편안한 | 더 편안한

불규칙

17 good |
좋은 | 더 좋은

18 bad |
나쁜 | 더 나쁜

19 well |
잘 | 더 잘

20 many |
많은 | 더 많은

Point 3 비교급의 쓰임

비교급은 문장에서 「비교급+than」의 형태로 쓰며, '~보다 더 …한/하게'로 해석해요.

Math is **easy**.	수학은 쉽다.	
Math is easier than science.	수학은 과학보다 더 쉽다.	〈비교급〉
Science is **difficult**.	과학은 어렵다.	
Science is more difficult than math.	과학은 수학보다 더 **어렵다**.	〈비교급〉

The tortoise moves **fast**. 거북이는 빨리 움직인다.		
The tortoise moves faster than a snail.		〈비교급〉
거북이는 달팽이보다 더 **빨리** 움직인다.		
The snail moves **slowly**. 달팽이는 천천히 움직인다.		
The snail moves more slowly than a tortoise.		〈비교급〉
달팽이는 거북이보다 더 **천천히** 움직인다.		

> **조심해요!** 비교급 문장을 쓸 때 than(~보다)을 then(그때)으로 쓰지 않도록 철자에 주의하세요.
> faster <u>then</u> (X)　　　faster than (O)

Check Up 1 비교급 문장 고르기

우리말에 맞는 문장을 고르세요.

1

John은 너보다 나이가 더 많다.

ⓐ John is older than you. ✓
ⓑ You are older than John.

2

Kate는 나보다 노래를 더 잘한다.

ⓐ I sing better than Kate.
ⓑ Kate sings better than me.

3

건강이 돈보다 더 중요하다.

ⓐ Health is more important than money.
ⓑ Money is more important than health.

Check Up 2 알맞은 비교급 고르기

괄호 안에서 알맞은 것을 고르세요.

1 This desk is (big than / (bigger than)) that desk.

이 책상은 저 책상보다 더 크다.

2 Your bag is (heavier than / heavy than) mine.

너의 가방은 내 것보다 더 무겁다.

3 This game is (interestinger / more interesting) than that game.

이 게임은 저 게임보다 더 재미있다.

4 Jenny learns (faster than / more faster than) Kevin.

Jenny는 Kevin보다 더 빨리 배운다.

5 Today is (colder than / more cold than) yesterday.

오늘은 어제보다 더 춥다.

6 Jina speaks more (than slowly / slowly than) Ted.

Jina는 Ted보다 더 천천히 말한다.

7 Sam dances (better than / well than) his brother.

Sam은 그의 남동생보다 춤을 더 잘 춘다.

우리말에 맞게 주어진 단어를 빈칸에 알맞은 형태로 써서 문장을 완성하세요.

1

strong

John is ___strong___. John은 힘이 세다.

John is ___stronger___ ___than___ Kevin.

John은 Kevin보다 더 힘이 세다.

2

busy

My mom is _____. 우리 엄마는 바쁘시다.

My mom is _____ _____ my dad.

우리 엄마는 우리 아빠보다 더 바쁘시다.

3

thin

This book is _____. 이 책은 얇다.

This book is _____ _____ that book.

이 책은 저 책보다 더 얇다.

4

popular

Soccer is _____ in Brazil. 브라질에서는 축구가 인기 있다.

Soccer is _____ _____ _____ baseball in Brazil.

브라질에서는 축구가 야구보다 더 인기 있다.

5

fast

Amy solved the problem _____. Amy는 그 문제를 빨리 풀었다.

Amy solved the problem _____ _____ Paul.

Amy는 Paul보다 그 문제를 더 빨리 풀었다.

6

well

Ted draws _____. Ted는 그림을 잘 그린다.

Ted draws _____ _____ Lisa.

Ted는 Lisa보다 그림을 더 잘 그린다.

7

many

I have _____ pencils. 나는 많은 연필을 가지고 있다.

I have _____ pencils _____ Emily.

나는 Emily보다 더 많은 연필을 가지고 있다.

그림을 보고 보기 에서 알맞은 말을 골라 비교급으로 문장을 완성하세요.

보기   ~~old~~   large   hot   long   expensive   good

1

Ted is ___older___ ___than___ Sam.

2
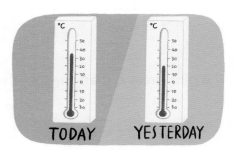

Today is _____ _____ yesterday.

3

Jina's hair is _____ _____
Emily's hair.

4

Dad's shoes are _____ _____
mine.

5

Amy's painting is _____ _____
Kate's painting.

6
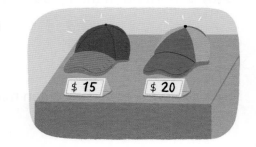

The blue cap is _____ _____
_____ the red cap.

밑줄 친 부분이 맞으면 O, 틀리면 X 표를 한 후 틀린 부분을 바르게 고쳐 쓰세요.

1 Amy is <u>tall</u> than Jenny.　　X → taller

2 The pink dress is <u>than cheaper</u> the yellow dress.　　☐ → ☐

3 This line is <u>short</u> than that line.　　☐ → ☐

4 Sam is heavier <u>then</u> Kevin.　　☐ → ☐

5 Baseball is <u>more popular</u> than basketball.　　☐ → ☐

6 My math score is <u>more bad</u> than my English score.　　☐ → ☐

7 Today is <u>more warm</u> than yesterday.　　☐ → ☐

8 Jake's camera is <u>expensiver</u> than mine.　　☐ → ☐

주어진 단어와 비교급을 이용하여 우리말에 맞게 영작하세요.

1 내 가방이 네 가방**보다** 더 크다. (My bag, big, your bag)

My bag	is	bigger ┊ than	your bag.
내 가방이	이다	보다 더 큰	네 가방

2 이 노래가 저 노래**보다** 더 유명하다. (This song, famous, that song)

		┊	
이 노래가	이다	보다 더 유명한	저 노래

3 수학이 과학**보다** 더 재미있다. (Math, interesting, science)

		┊ ┊	
수학이	이다	보다 더 재미있는	과학

4 아시아는 아프리카**보다** 더 크다. (Asia, large, Africa)

		┊	
아시아는	이다	보다 더 큰	아프리카

5 그녀의 계획이 그의 것**보다** 더 좋다. (Her plan, good, his)

		┊	
그녀의 계획이	이다	보다 더 좋은	그의 것

6 지하철은 기차**보다** 더 느리게 달린다. (The subway, runs, slowly, the train)

		┊	
지하철은	달린다	보다 더 느리게	기차

7 엄마는 아빠**보다** 영어를 더 잘 말하신다. (Mom, speaks, English, well, Dad)

			┊	
엄마는	말하신다	영어를	보다 더 잘	아빠

서술형 WRITING

A 사물·동물 비교하기

그림을 보고 보기 에서 알맞은 말을 골라 비교급으로 문장을 완성하세요.

| 보기 | ~~fast~~ | expensive | heavy |

1  **2** **3**

1 The new car is _____faster_____ than the old car.

2 The elephant is _____ than the monkey.

3 The red table is _____ than the blue table.

B 애완동물 소개하기

표를 보고 주어진 단어를 이용하여 애완동물을 비교하는 문장을 완성하세요.

	Coco	Max
나이	5살	10살
먹는 양	🍽️🍽️	🍽️🍽️🍽️

These are my pet dogs, Coco and Max.

1 Max is _____bigger than_____ Coco. (big)

2 Max is _____ Coco. (old)

3 Max eats _____ food _____ Coco. (much)

11

최상급

Point 1 최상급 만들기 (1)

Point 2 최상급 만들기 (2)

Point 3 최상급의 쓰임

- 셋 이상의 대상을 비교해서 그 중 하나가 가장 어떠하다고 말할 때 **최상급**을 써요.

Tina (10살) Julie (5살) Jane (15살)

Julie is **the youngest** of the three.

Julie는 셋 중에서 **가장** 어리다.

최상급 만들기 (1)

1 최상급은 셋 이상의 대상을 비교하여 '가장 ~한, 가장 ~하게'라는 의미를 나타낼 때 써요.

> Sam is **tall**.   Sam은 키가 크다.
>
> Sam is the **tallest** boy in his class.   Sam은 그의 반에서 가장 키가 큰 소년이다. 〈최상급〉

2 최상급을 만드는 규칙은 다음과 같아요.

대부분의 형용사/부사 -est			
long	긴	– longest	가장 긴
short	짧은	– shortest	가장 짧은
old	나이 든	– oldest	가장 나이 든
small	작은	– smallest	가장 작은
fast	빠른/빨리	– fastest	가장 빠른/빨리

-e로 끝나는 형용사/부사 -st			
large	큰	– largest	가장 큰
wide	넓은	– widest	가장 넓은
nice	좋은	– nicest	가장 좋은
wise	현명한	– wisest	가장 현명한
safe	안전한	– safest	가장 안전한

「자음+y」로 끝나는 형용사/부사 y → -iest			
happy	행복한	– happiest	가장 행복한
easy	쉬운	– easiest	가장 쉬운
busy	바쁜	– busiest	가장 바쁜
heavy	무거운	– heaviest	가장 무거운

「단모음＋단자음」으로 끝나는 형용사/부사 자음 추가＋ -est			
big	큰	– biggest	가장 큰
hot	뜨거운	– hottest	가장 뜨거운
sad	슬픈	– saddest	가장 슬픈
thin	얇은	– thinnest	가장 얇은

Check Up 1 비교급·최상급 고르기

주어진 단어의 우리말 뜻에 동그라미 하고, 비교급인지 최상급인지 체크(✔)하세요.

			비교급	최상급
1	longest	(더 긴 / 가장 긴)	☐	✔
2	easiest	(더 쉬운 / 가장 쉬운)	☐	☐
3	bigger	(더 큰 / 가장 큰)	☐	☐
4	fastest	(더 빨리 / 가장 빨리)	☐	☐

주어진 형용사나 부사의 최상급을 쓰세요.

		최상급			최상급

-est

1
high	highest
높은	가장 높은

2
small	
작은	가장 작은

3
young	
어린	가장 어린

4
long	
긴	가장 긴

5
fast	
빠른/빨리	가장 빠른/빨리

6
old	
나이 든	가장 나이 든

-st

7
large	
큰	가장 큰

8
safe	
안전한	가장 안전한

9
nice	
좋은	가장 좋은

10
wise	
현명한	가장 현명한

-iest

11
easy	
쉬운	가장 쉬운

12
heavy	
무거운	가장 무거운

13
lazy	
게으른	가장 게으른

14
busy	
바쁜	가장 바쁜

15
funny	
웃긴	가장 웃긴

16
happy	
행복한	가장 행복한

자음 +-est

17
big	
큰	가장 큰

18
sad	
슬픈	가장 슬픈

19
thin	
얇은	가장 얇은

20
hot	
뜨거운	가장 뜨거운

최상급 만들기 (2)

1 긴 형용사나 부사를 최상급으로 만들 때는 단어 앞에 **most**를 써요.

beautiful	아름다운	–	most beautiful	가장 아름다운
famous	유명한	–	most famous	가장 유명한
interesting	재미있는	–	most interesting	가장 재미있는
difficult	어려운	–	most difficult	가장 어려운
expensive	비싼	–	most expensive	가장 비싼
popular	인기 있는	–	most popular	가장 인기 있는
slowly	느리게	–	most slowly	가장 느리게
easily	쉽게	–	most easily	가장 쉽게

2 최상급을 만드는 규칙을 따르지 않고 전혀 다른 형태로 바뀌는 단어도 있어요.

good	좋은	–	best	가장 좋은	well	잘	–	best	가장 잘
bad	나쁜	–	worst	가장 나쁜	many / much	많은	–	most	가장 많은

> **조심해요!** 최상급을 만들 때 -est와 most를 함께 쓰지 않도록 주의하세요.
> the most happiest (X)   the happiest (O)

Check Up **1** 비교급·최상급 쓰기

알맞은 단어를 넣어 표를 완성하세요.

			비교급		최상급	
1	beautiful 아름다운	more beautiful	더 아름다운	most beautiful	가장 아름다운
2	slowly 느리게	_____	더 느리게	most slowly	가장 느리게
3	good 좋은	better	더 좋은	_____	가장 좋은
4	difficult 어려운	more difficult	더 어려운	_____	가장 어려운
5	many 많은	more	더 많은	_____	가장 많은
6	well 잘	_____	더 잘	best	가장 잘

주어진 형용사나 부사의 최상급을 쓰세요.

most +

최상급

1
famous
유명한 | most famous
가장 유명한

2
easily
쉽게 |
가장 쉽게

3
important
중요한 |
가장 중요한

4
interesting
재미있는 |
가장 재미있는

5
useful
유용한 |
가장 유용한

6
dangerous
위험한 |
가장 위험한

7
exciting
신나는 |
가장 신나는

8
slowly
느리게 |
가장 느리게

9
popular
인기 있는 |
가장 인기 있는

10
careful
조심하는 |
가장 조심하는

11
delicious
맛있는 |
가장 맛있는

12
comfortable
편안한 |
가장 편안한

13
difficult
어려운 |
가장 어려운

14
expensive
비싼 |
가장 비싼

15
famous
유명한 |
가장 유명한

16
beautiful
아름다운 |
가장 아름다운

불규칙

17
good
좋은 |
가장 좋은

18
bad
나쁜 |
가장 나쁜

19
well
잘 |
가장 잘

20
much
많은 |
가장 많은

Point 3 최상급의 쓰임

1 최상급은 문장에서 「the+최상급(+명사)」의 형태로 쓰며, '가장 ~한/하게'로 해석해요.

Kate is **tall**.	Kate는 키가 크다.
Kate is the tallest **girl**.	Kate는 가장 키가 큰 소녀이다. 〈형용사의 최상급〉

Ted walks **fast**.	Ted는 빠르게 걷는다.
Ted walks the fastest.	Ted는 가장 빠르게 걷는다. 〈부사의 최상급〉

2 최상급 뒤에 「in/of + 명사」를 쓰면 '~에서, ~중에서'라는 의미를 나타낼 수 있어요.

Seoul is **the busiest** city.   서울은 가장 바쁜 도시이다.
Seoul is **the busiest** city in Korea.   서울은 **한국에서** 가장 바쁜 도시이다.

This room is **the biggest**.   이 방이 가장 크다.
This room is **the biggest** of the three rooms.   이 방이 **세 개의 방 중에서** 가장 크다.

> **조심해요!** 형용사의 최상급에서는 the를 빠트리지 않도록 주의하세요.
> This is <u>most interesting</u> story. (X)   This is the most interesting story. (O)

Check Up 1 최상급 문장 고르기

우리말에 맞는 문장을 고르세요.

1 이 전화기가 가장 싸다.
     ⓐ This phone is the cheapest. ✓
     ⓑ This phone is cheaper.

2 그녀는 가장 어리다.
     ⓐ She is younger.
     ⓑ She is the youngest.

3 그는 가장 인기 있는 가수이다.
     ⓐ He is the most popular singer.
     ⓑ He is more popular singer.

우리말에 맞게 괄호 안에서 알맞은 것을 고르세요.

1

이 가방이 가장 무겁다.

→ This bag is (the heaviest / heaviest).

2

이것이 가장 어려운 문제이다.

→ This is the (more / most) difficult problem.

3

그는 가장 잘하는 선수이다.

→ He is the (good / best) player.

4

이것은 세계에서 가장 비싼 차이다.

→ This is (more / the most) expensive car in the world.

5

Ted는 그들 중에서 춤을 가장 잘 춘다.

→ Ted dances the (well / best) of them.

6

2월은 일 년 중에서 가장 짧은 달이다.

→ February is the (month shortest / shortest month) of the year.

7

Kevin이 우리 중에서 가장 빠르게 대답했다.

→ Kevin answered the (faster / fastest) of us.

우리말에 맞게 주어진 단어를 빈칸에 알맞은 형태로 써서 문장을 완성하세요.

1

big

This shirt is ____bigger____ than that shirt.
이 셔츠가 저 셔츠보다 더 크다.

This shirt is ____the____ ____biggest____ in the store.
이 셔츠가 가게에서 가장 크다.

2

young

Kate is _____ than Emily.
Kate는 Emily보다 더 어리다.

Kate is _____ _____ in her family.
Kate는 그녀의 가족 중에서 가장 어리다.

3

easy

This book was _____ than that book.
이 책이 저 책보다 더 쉬웠다.

This book was _____ _____ of them.
이 책이 그것들 중에서 가장 쉬웠다.

4

well

My mom sings _____ than my dad.
엄마는 아빠보다 노래를 더 잘 부르신다.

My mom sings _____ _____ in my family.
엄마는 우리 가족 중에서 노래를 가장 잘 부르신다.

5

popular

Paul is _____ _____ than Ted.
Paul은 Ted보다 더 인기 있다.

Paul is _____ _____ _____ boy in my school.
Paul은 우리 학교에서 가장 인기 있는 소년이다.

6

difficult

Math is _____ _____ than science.
수학은 과학보다 더 어렵다.

Math is _____ _____ _____ subject for me.
수학은 나에게 가장 어려운 과목이다.

그림을 보고 보기 에서 알맞은 말을 골라 최상급으로 문장을 완성하세요.

| 보기 | ~~tall~~ | expensive | well | cold | fast | popular |

1

Paul is ___the___ ___tallest___
boy of the three.

2

Winter is _____ _____
season of the year.

3

This dress is _____ _____
_____ in the store.

4

Lisa runs _____ _____
of the three.

5

Jenny sings _____ _____
of the three.

6

Soccer is _____ _____
_____ of the three.

우리말에 맞게 주어진 표현을 바르게 배열하여 문장을 완성하세요.

1   Davis 씨는 그 마을에서 가장 부유한 남자이다. (the richest, in the village, man)

→ Mr. Davis is _____ the richest man in the village _____.

2   태평양은 세계에서 가장 큰 대양이다. (ocean, in the world, the biggest)

→ The Pacific Ocean is _____.

3   Jina는 우리 반에서 춤을 가장 잘 춘다. (in my class, the best)

→ Jina dances _____.

4   햄버거는 그 식당에서 가장 싼 음식이다. (in the restaurant, food, the cheapest)

→ The hamburger is _____.

5   영어는 나에게 가장 쉬운 과목이다. (subject, for me, the easiest)

→ English is _____.

6   오늘은 일 년 중에 가장 더운 날이다. (of the year, day, the hottest)

→ Today is _____.

7   Kevin은 셋 중에서 최고의 선수이다. (player, the best, of the three)

→ Kevin is _____.

 WORD BANK   rich 부유한   village 마을   the Pacific Ocean 태평양   ocean 대양, 바다   subject 과목

주어진 단어와 최상급을 이용하여 우리말에 맞게 영작하세요.

1 Tom은 그의 팀에서 **가장 빠른 주자**이다. (fast, runner, on his team)

Tom	is	the	fastest	runner	on his team.
Tom은	이다		가장 빠른 주자		그 팀에서

2 그는 그 마을에서 **가장 키가 큰 남자**이다. (tall, man, in the village)

그는	이다		가장 키가 큰 남자		그 마을에서

3 오늘은 내 인생에서 **최고의 날**이다. (Today, good, day, of my life)

오늘은	이다		최고의 날		내 인생에서

4 이것은 이 도서관에서 **가장 오래된 책**이다. (old, book, in this library)

이것은	이다		가장 오래된 책		이 도서관에서

5 Lisa는 우리 학교에서 노래를 **가장 잘** 부른다. (sings, well, in my school)

Lisa는	노래를 부른다		가장 잘	우리 학교에서

6 Emily는 우리 반에서 **가장 인기 있는 소녀**이다. (popular, girl, in my class)

Emily는	이다		가장 인기 있는 소녀		우리 반에서

7 Sam은 셋 중에서 **가장 천천히** 먹는다. (eats, slowly, of the three)

Sam은	먹는다	가장 천천히	셋 중에서

A 사물·동물 비교하기

그림을 보고 보기 에서 알맞은 말을 골라 최상급으로 문장을 완성하세요.

> 보기   ~~expensive~~   fast   cheap   slowly

1

2

1 The smartphone is _____the most expensive_____ in the store.

The watch is _____ in the store.

2 The cheetah runs _____ of the three.

The elephant runs _____ of the three.

B 최상급 문장 완성하기

우리말에 맞게 주어진 단어를 바르게 배열하여 최상급 문장을 완성하세요.

1 러시아는 세계에서 가장 큰 나라이다.

Russia is _____the largest country in the world_____.
(the, largest, in the world, country)

2 나일강은 아프리카에서 가장 긴 강이다.

The Nile is _____.
(river, in Africa, longest, the)

3 제주도는 한국에서 가장 큰 섬이다.

Jeju-do is _____.
(in Korea, the, island, biggest)

전치사

Point 1 위치/장소를 나타내는 전치사

Point 2 시간을 나타내는 전치사

- '8시에', '침대 위에'처럼 시간이나 위치 등을 나타낼 때 명사 앞에 쓰는 말을 **전치사**라고 해요.

I have breakfast at 8 o'clock.
나는 8시에 아침을 먹는다.

The baby is sleeping on the bed.
아기가 침대 **위에서** 잠을 자고 있다.

Point 1 위치/장소를 나타내는 전치사

1 위치/장소를 나타내는 전치사는 사람이나 사물이 어디에 있는지 나타낼 때 사용해요.

> There is a bench.   벤치가 있다.
> There is a bench under the tree.   나무 아래에 벤치가 있다.

2 위치나 장소를 나타내는 전치사는 다음과 같아요.

in	on	under

in the box 상자 안에	on the sofa 소파 위에	under the table 탁자 아래에

next to	in front of	behind

next to the door 문 옆에	in front of the tree 나무 앞에	behind the tree 나무 뒤에

cf. 전치사 on은 사람이나 사물이 표면에 닿아 있을 때 써요.
on the wall 벽에   on the ceiling 천장에

Check Up 1 위치/장소를 나타내는 전치사 고르기

우리말에 맞게 괄호 안에서 알맞은 것을 고르세요.

1 상자 아래에 → (on the box / **under the box**)

2 상자 안에 → (in the box / on the box)

3 상자 앞에 → (behind the box / in front of the box)

Check Up 2 위치/장소를 나타내는 전치사 쓰기

그림을 보고 보기 에서 알맞은 전치사를 골라 쓰세요. (한 단어를 여러 번 사용 가능)

보기   ~~under~~   on   in   behind   in front of   next to

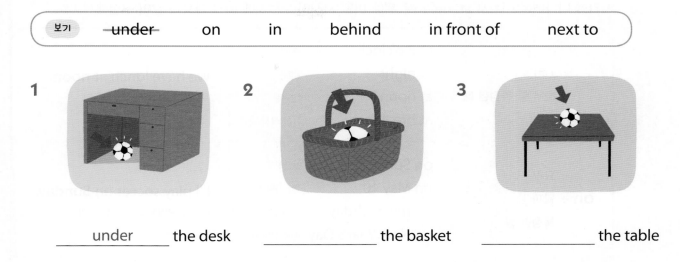

1 _____under_____ the desk

2 _____ the basket

3 _____ the table

4 _____ the TV

5 _____ the sofa

6 _____ the bed

7 _____ the box

8 _____ the bag

9 _____ the tree

시간을 나타내는 전치사

시간을 나타내는 전치사 at, on, in은 뒤에 어떤 시간이 오는지에 따라 다음과 같이 구별해서 써요.

at +	시각 하루 중 특정한 때	at 3 o'clock	3시에	We have lunch at **noon**. 우리는 **정오에** 점심을 먹는다.
		at night	밤에	
		at noon	정오에	
		at breakfast	아침 식사 때에	
on +	요일 날짜 특정한 날	on Sunday	일요일에	I'll play soccer on **Sunday**. 나는 **일요일에** 축구를 할 것이다.
		on May 10	5월 10일에	
		on my birthday	내 생일에	
		on New Year's Day	새해 첫날에	
in +	아침/오후/저녁 월 계절 연도	in the morning	아침에	I go swimming in **summer**. 나는 **여름에** 수영하러 간다.
		in December	12월에	
		in winter	겨울에	
		in 2020	2020년에	

비교해요!

전치사 at, on, in

전치사 at, on, in은 시간과 장소를 모두 나타낼 수 있어요. in은 비교적 넓은 기간이나 범위일 때 사용하고, at은 비교적 좁은 범위(시간이나 장소)일 때 사용해요.

시간: **in** (월, 계절, 연도) > **on** (요일, 날짜, 특정한 날) > **at** (시각, 특정한 때)

장소: **in** (공간의 내부, 도시, 국가) > **on** (거리 위) > **at** (장소의 한 지점)

Check Up 1 시간을 나타내는 전치사 고르기

우리말에 맞게 괄호 안에서 알맞은 것을 고르세요.

1 2시 30분에 → (at / on) 2:30

2 여름에 → (on / in) summer

3 7월 5일에 → (on / in) July 5

4 저녁에 → (at / in) the evening

5 정오에 → (at / on) noon

6 월요일에 → (on / in) Monday

빈칸에 들어갈 알맞은 전치사를 쓰세요.

1	at	breakfast 아침 식사 때에	at	dinner 저녁 식사 때에
2		Friday 금요일에		Saturday 토요일에
3		the afternoon 오후에		the evening 저녁에
4		spring 봄에		fall 가을에
5		Halloween 핼러윈에		New Year's Day 새해 첫날에
6		2020 2020년에		1995 1995년에
7		night 밤에		noon 정오에
8		March 3월에		September 9월에
9		10 o'clock 10시 정각에		4:30 4시 30분에
10		April 3 4월 3일에		Wednesday 수요일에

우리말에 맞게 (보기) 에서 알맞은 전치사를 골라 문장을 완성하세요. (한 단어를 여러 번 사용 가능)

| 보기 | at | on | in | behind | in front of | next to |

1
I get up _____at_____ 7 o'clock. 나는 7시에 일어난다.

I get up early _____in_____ the morning. 나는 아침에 일찍 일어난다.

2
The new school year begins _____ spring. 새 학년은 봄에 시작된다.

The new school year begins _____ March 2. 새 학년은 3월 2일에 시작된다.

3
They visited Korea _____ 2018. 그들은 2018년에 한국을 방문했다.

They visited Korea _____ Christmas Day. 그들은 크리스마스에 한국을 방문했다.

4
There is a basket _____ the table. 탁자 위에 바구니가 있다.

There are some oranges _____ the basket. 바구니 옆에 오렌지가 몇 개 있다.

5
Amy is sitting _____ me. Amy는 내 앞에 앉아 있다.

Lisa is sitting _____ me. Lisa는 내 뒤에 앉아 있다.

6
He is _____ the classroom. 그는 교실에 있다.

He is putting a picture _____ the wall. 그는 벽에 그림을 걸고 있다.

그림을 보고 보기 의 전치사와 주어진 단어를 이용하여 문장을 완성하세요.

보기	~~at~~	in	under	in front of	next to	on

1

I go to bed _____at 10 o'clock_____.
(10 o'clock)

2

My birthday is _____.
(April 5)

3

The library is _____.
(the bank)

4

My bag is _____.
(the desk)

5

He goes skiing _____.
(winter)

6

The teacher is standing _____
_____.
(the students)

WORD BANK   go to bed 잠자리에 들다   library 도서관   go skiing 스키 타러 가다   stand 서 있다

밑줄 친 부분이 우리말에 맞으면 **O**, 틀리면 **X** 표를 한 후 틀린 부분을 바르게 고쳐 쓰세요.

1 He can't go out <u>in night</u>.
그는 **밤에** 외출할 수 없다.

X → at night

2 We go swimming <u>on summer</u>.
우리는 **여름에** 수영하러 간다.

◯ →

3 My sister gets up <u>on 7 a.m.</u>
내 여동생은 **오전 7시에** 일어난다.

◯ →

4 The girls are sitting <u>behind the tree</u>.
소녀들이 **나무 아래에** 앉아 있다.

◯ →

5 Some cookies are <u>on the plate</u>.
접시 위에 쿠키가 좀 있다.

◯ →

6 My school is <u>in front the park</u>.
우리 학교는 **공원 앞에** 있다.

◯ →

7 My dad is <u>on the living room</u>.
나의 아빠는 **거실에** 계신다.

◯ →

8 A big tree is <u>under the fence</u>.
담장 뒤에 큰 나무 한 그루가 있다.

◯ →

WORD BANK　　**go out** 외출하다　　**plate** 접시　　**living room** 거실　　**fence** 담장, 울타리

주어진 단어와 전치사를 이용하여 우리말에 맞게 영작하세요.

1 나의 엄마는 **부엌에** 계신다. (My mom, the kitchen)

My mom	is	in	the kitchen.
나의 엄마는	계신다	부엌에	

2 그들은 **오후에** 축구를 한다. (the afternoon, play, soccer)

그들은	한다	축구를	오후에

3 **벽에** 시계가 있다. (A clock, the wall)

시계가	있다	벽에

4 **침대 아래에** 양말 한 짝이 있다. (There is, the bed, a sock)

있다	양말 한 짝이	침대 아래에

5 우리는 **크리스마스 이브에** 파티를 한다. (Christmas Eve, have, a party)

우리는	한다	파티를	크리스마스 이브에

6 우리는 **문 앞에서** 만났다. (met, the gate)

우리는	만났다	문 앞에서

7 그 학생들은 **정오에** 점심을 먹는다. (have, lunch, The students, noon)

그 학생들은	먹는다	점심을	정오에

A 위치 묘사하기

그림을 보고 보기 에서 알맞은 말을 골라 문장을 완성하세요.

보기   ~~in front of~~   on   in   behind

1 There are boxes __in front of__ the house.

2 There is a cat _____ the box.

3 There is a lamp _____ the box.

4 There is a soccer ball _____ the books.

B 초대장 읽고 글 완성하기

Jina의 생일 파티 초대장을 읽고, 밑줄 친 부분을 바르게 고쳐 글을 완성하세요.

Birthday Party for Jina

Date: Wednesday, May 1

Time: 2 p.m.

Place: living room
(Jina's house)

Jina's birthday party is ① in May 1. The party is ② at the afternoon. It starts ③ on 2 p.m. The party is ④ on the living room.

↓

Jina's birthday party is ① __on__ May 1. The party is ② _____ the afternoon. It starts ③ _____ 2 p.m. The party is ④ _____ the living room.

1 비교급이 잘못된 것을 고르세요.

① long – longer

② nice – nicer

③ thin – thiner

④ easy – easier

⑤ useful – more useful

2 빈칸에 들어갈 말로 알맞은 것을 고르세요.

> This is _____ cap in this store.
>
> 이것은 이 가게에서 가장 저렴한 모자이다.

① cheap

② cheaper

③ cheapest

④ the cheapest

⑤ the most cheapest

3 우리말을 영어로 바르게 옮긴 것을 고르세요.

> 네 가방이 내 것보다 더 크다.

① My bag is bigger than yours.

② My bag is more bigger than yours.

③ Your bag is smaller than mine.

④ Your bag is bigger than mine.

⑤ Your bag is more bigger than mine.

4 빈칸에 들어갈 말로 알맞지 않은 것을 고르세요.

> Jenny is _____ than me.

① faster

② youngest

③ smarter

④ more beautiful

⑤ more popular

도전문제

5 그림을 보고 일치하지 않는 문장을 고르세요.

① Jina is shorter than Sam.

② Sam is taller than Kevin.

③ Kevin is shorter than Amy.

④ Sam is the tallest.

⑤ Amy is the shortest.

6 밑줄 친 부분이 잘못된 것을 고르세요.

① John is the best player on my team.

② Lisa is the fastest runner in our class.

③ Today is the most happy day of my life.

④ This is the highest mountain in my country.

⑤ She is the most famous singer in the world.

7 밑줄 친 부분이 잘못된 것을 고르세요.

① Let's meet <u>at</u> 8 p.m.

② We will visit you <u>on</u> March.

③ They went to China <u>in</u> 2018.

④ He plays soccer <u>in</u> the afternoon.

⑤ We will have a party <u>on</u> Christmas Day.

8 빈칸에 공통으로 들어갈 전치사로 알맞은 것을 고르세요.

- I ate a cake _____ my birthday.
- There is a big clock _____ the wall.

① on

② in

③ under

④ behind

⑤ next to

서 술 형

9 그림을 보고 빈칸에 알맞은 말을 쓰세요.

There is a soccer ball _____ the chair.

10 우리말에 맞게 빈칸에 알맞은 전치사를 써서 문장을 완성하세요.

우리 집 앞에 은행이 있다.

→ There is a bank _____ _____

_____ my house.

11 우리말에 맞게 주어진 단어를 알맞은 형태로 써서 문장을 완성하세요.

Brian은 Jane보다 춤을 더 잘 춘다.

→ Brian dances _____ _____

Jane. (well)

12 표를 보고 주어진 단어를 이용하여 문장을 완성하세요.

월	기온
January	-15°C
July	33°C
October	10°C

(1) January is _____ _____ of the three. (cold)

(2) July is _____ _____ of the three. (hot)

13

접속사

Point 1 and, but, or

Point 2 because, so

- 말과 말을 서로 연결해 주는 단어를 접속사라고 해요. 접속사에는 and, but, or 등이 있어요.

Snow White is pretty and kind.
백설공주는 예쁘고 친절하다.

Aladdin is poor but happy.
알라딘은 가난하지만 행복하다.

#
Point 1 and, but, or

접속사는 단어와 단어, 문장과 문장을 연결해 주는 말이에요.

1 and: '~와, 그리고'라는 의미로, 서로 비슷한 내용의 말을 연결해요.

and	Kate likes **science** and **history**. 〈단어+단어〉 Kate는 과학과 역사를 좋아한다.
	I have a brother, and Ted has a sister. 〈문장+문장〉 나는 남자 형제가 한 명 있고, Ted는 여자 형제가 한 명 있다.

2 but: '그러나, 하지만'이라는 의미로, 서로 반대되는 내용의 말을 연결해요.

but	The house is **old** but **expensive**. 〈단어+단어〉 그 집은 **오래되었지만** 비싸다.
	It was cold yesterday, but it is warm today. 〈문장+문장〉 어제는 **추웠지만** 오늘은 따뜻하다.

3 or: '또는, ~이나'라는 의미로, 하나를 선택할 때 사용해요.

or	You can eat **pizza** or **spaghetti**. 〈단어+단어〉 너는 피자 **또는** 스파게티를 먹을 수 있다.
	Did you go to the movies, or were you at home? 〈문장+문장〉 너는 영화를 보러 갔었니 **아니면** 집에 있었니?

> **더 알아봐요!** 접속사 and, but, or는 품사가 같은 말을 연결해요.
> Amy is <u>pretty</u> and <u>my sister</u>. (X)　　　Amy is <u>pretty</u> **and** <u>kind</u>. (O)
> 　　　　　(형용사)　　　(명사)　　　　　　　　　　　(형용사)　　　(형용사)

Check Up 1 알맞은 접속사 고르기

우리말에 맞게 빈칸에 알맞은 것에 체크(✔)하세요.

			and	but	or
1	예쁘고 똑똑한	→ pretty _____ smart	✔		
2	야구 또는 축구	→ baseball _____ soccer			
3	춥고 바람 부는	→ cold _____ windy			
4	가난하지만 행복한	→ poor _____ happy			

우리말에 맞게 빈칸에 **and, but, or** 중 알맞은 접속사를 쓰세요.

1 내 개는 **작고** 귀엽다.

→ My dog is small ___and___ cute.

2 네 남동생은 키가 크니 **아니면** 작니?

→ Is your brother tall _____ short?

3 Amy는 **어리지만** 현명하다.

→ Amy is young _____ wise.

4 **James와** 나는 야구를 좋아한다.

→ James _____ I like baseball.

5 우리는 점심으로 **햄버거나** 피자를 먹을 수 있다.

→ We can have hamburgers _____ pizza for lunch.

6 나는 자전거를 탈 수 **있지만** Lisa는 자전거를 못 탄다.

→ I can ride a bike, _____ Lisa can't ride a bike.

7 Kate는 피아노를 **치고,** Tom은 바이올린을 켠다.

→ Kate plays the piano, _____ Tom plays the violin.

8 그들은 하이킹을 **가거나** 수영하러 갈 것이다.

→ They will go hiking, _____ they will go swimming.

2 because, so

접속사 because와 so는 문장과 문장을 연결하며, 각각 이유와 결과를 나타내요.

1 **because:** '～ 때문에'라는 의미로, because 뒤에 오는 말은 이유를 나타내요.

because	I was full. + I ate all the pizza. 나는 배가 불렀다. + 나는 피자를 모두 먹었다. → I was full because I ate all the pizza. → Because I ate all the pizza, I was full. 나는 모든 피자를 먹었기 **때문에** 배가 불렀다.

cf. because가 문장 맨 앞에 올 때는 콤마(,)를 쓰고, 뒤에 올 때는 콤마(,)를 쓰지 않아요.

2 **so:** '～해서'라는 의미로, 원인과 결과를 연결해요.

so	Kate didn't have breakfast. + She is very hungry now. Kate는 아침을 먹지 않았다. + 그녀는 지금 매우 배고프다. → Kate didn't have breakfast, so she is very hungry now. Kate는 아침을 먹지 **않아서** 지금 매우 배고프다.

Check Up **1** 접속사의 의미 고르기

다음 문장에서 접속사를 찾아 동그라미 하고, 접속사의 의미로 알맞은 것에 체크(✓)하세요.

		～ 때문에	～해서
1	The singer sings well, so many people like him.		✓
2	Because I was tired, I went to bed early.		
3	I like Lisa because she is kind.		
4	Kevin was busy, so he didn't call you.		
5	I can't sleep because there is noise outside.		
6	I have a test, so I have to study.		

우리말에 맞게 빈칸에 **because** 또는 **so** 중 알맞은 접속사를 쓰세요.

1 나는 피곤했기 **때문에** 일찍 잠자리에 들었다.

→ I went to bed early ___because___ I was tired.

2 **추워서** 그녀는 창문을 닫았다.

→ It was cold, _____ she closed the windows.

3 나는 바쁘기 **때문에** 너를 도울 수 없다.

→ I can't help you _____ I'm busy.

4 그는 열심히 **공부해서** 시험에 합격했다.

→ He studied hard, _____ he passed the test.

5 나는 늦게 일어났기 **때문에** 학교에 지각했다.

→ I was late for school _____ I got up late.

6 방이 **지저분해서** 그녀는 방을 청소할 것이다.

→ Her room is messy, _____ she will clean it.

7 나는 점심을 안 먹었기 **때문에** 배가 고프다.

→ _____ I didn't have lunch, I'm hungry.

8 그 책은 **어려워서** 우리가 읽을 수 없다.

→ The book is difficult, _____ we can't read it.

우리말에 맞게 보기 에서 알맞은 말을 골라 문장을 완성하세요. (한 단어를 여러 번 사용 가능)

보기	and	but	or	because	so

1 Sam is tall ___and___ strong. Sam은 키가 크고 힘이 세다.

Tom is short ___but___ strong. Tom은 키가 작지만 힘이 세다.

2 I will have toast _____ an egg. 나는 토스트와 달걀을 먹을 것이다.

She will drink milk _____ juice. 그녀는 우유나 주스를 마실 것이다.

3 It was rainy _____ windy yesterday. 어제는 비가 오고 바람이 불었다.

It is sunny _____ windy today. 오늘은 화창하지만 바람이 분다.

4 I am free _____ I don't have homework. 나는 숙제가 없기 때문에 한가하다.

I don't have much homework, _____ I am happy. 나는 숙제가 많지 않아서 행복하다.

5 I will read a book, _____ I will listen to music. 나는 책을 읽고 음악을 들을 것이다.

She will read a book, _____ she will listen to music. 그녀는 책을 읽거나 음악을 들을 것이다.

6 We can skate, _____ we can ski. 우리는 스케이트도 탈 수 있고 스키도 탈 수 있다.

Sam can skate, _____ he can't ski. Sam은 스케이트는 탈 수 있지만 스키는 못 탄다.

7 They are late, _____ they have to take a taxi. 그들은 늦어서 택시를 타야 한다.

_____ they are late, they have to run. 그들은 늦었기 때문에 뛰어야 한다.

사진을 보고 보기 에서 알맞은 말을 골라 문장을 완성하세요. (한 단어를 여러 번 사용 가능)

보기	so	but	because	and

1

Ryan was tired, _____so_____ he slept.

2

Mark _____ Lily rode their bikes.

3

We must be quiet _____ we are in the library.

4

You can't go out _____ it's too dark.

5

I was sick, _____ I didn't go to school yesterday.

6

Cindy can sing, _____ she can't dance.

밑줄 친 부분이 우리말에 맞으면 O, 틀리면 X 표를 한 후 틀린 부분을 바르게 고쳐 쓰세요.

1 Paul or I are good friends.
Paul과 나는 좋은 친구이다.

X → and

2 You and I have to clean the classroom.
너 또는 내가 교실을 청소해야 한다.

☐ → ☐

3 I like cats, and my sister likes dogs.
나는 고양이를 좋아하지만 내 여동생은 개를 좋아한다.

☐ → ☐

4 We ran, so we missed the bus.
우리는 뛰었지만 버스를 놓쳤다.

☐ → ☐

5 We can take a bus, so we can take a taxi.
우리는 버스를 타거나 택시를 탈 수 있다.

☐ → ☐

6 I like science because it is interesting.
나는 과학이 재미있기 때문에 과학을 좋아한다.

☐ → ☐

7 Because she was full, she didn't have lunch.
그녀는 배가 불렀기 때문에 점심을 먹지 않았다.

☐ → ☐

8 Tom was angry, because he didn't talk.
Tom은 화가 나서 말을 하지 않았다.

☐ → ☐

주어진 단어와 접속사를 이용하여 우리말에 맞게 영작하세요.

1 Lisa는 수학과 과학을 좋아한다. (likes, math, science)

Lisa	likes	math	and	science.
Lisa는	좋아한다		수학과 과학을	

2 우리는 2시 또는 3시에 출발할 것이다. (will leave, at, two, three)

우리는	출발할 것이다	~에		2시 또는 3시	

3 그들은 부유하지만 불행하다. (rich, unhappy)

그들은	이다		부유하지만 불행한	

4 나는 한가해서 너를 도울 수 있다. (can help)

I'm free,

그래서	나는	도울 수 있다	너를

5 나는 영어는 말할 수 있지만 일본어는 말하지 못한다. (can't speak, Japanese)

I can speak English,

하지만	나는	말하지 못한다	일본어를

6 나는 그의 전화번호를 모르기 때문에 그에게 전화할 수 없다. (don't know, his phone number)

I can't call him

때문에	나는	모른다	그의 전화번호를

7 Kevin은 재미있기 때문에 인기 있다. (funny)

Kevin is popular

때문에	그는	이다	재미있는

A 알맞은 접속사 쓰기

사진을 보고 괄호 안에서 알맞은 말을 골라 문장을 완성하세요.

1  2  3

1 The notebook _____ pencil are mine. (and / but)

2 It is sunny _____ cold. (or / but)

3 Do you need an umbrella _____ a raincoat? (but / or)

B 이유 · 결과 나타내기

보기 (A) 와 보기 (B) 에서 각각 하나씩 골라 자연스러운 문장을 완성하세요.

┌─── 보기 (A) ───┐

~~It rained~~

I missed the bus

He was full

┌─── 보기 (B) ───┐

so I was late for school

because he ate a lot of pizza

so we didn't go out

1 _____ It rained _____ , _____ .

2 _____ , _____ .

3 _____ .

명령문과 제안문

Point 1 명령문

Point 2 제안문

- '～해라'라고 말하는 문장을 **명령문**이라고 하고, '～하자'라고 말하는 문장을 **제안문**이라고 해요.

Watch this movie. 〈명령문〉
이 영화를 **봐**.

Let's watch this movie. 〈제안문〉
이 영화를 **보자**.

명령문

명령문은 상대방에게 '〜해라' 또는 '〜하지 마라'라고 지시할 때 쓰는 문장이에요. 명령문은 주어 you를 생략하고 동사원형으로 시작해요.

1 긍정 명령문: 동사원형으로 문장을 시작하며, '〜해라'라는 의미예요.

일반동사가 올 때 동사원형 〜.	be동사가 올 때 Be 〜.
Open the door. 문을 열어라. Sit on the chair. 의자에 앉아라.	Be quiet. 조용히 해라. Be careful. 조심해라.

cf. 문장의 앞이나 뒤에 please를 넣으면 공손한 표현이 돼요.
Please be quiet. 조용히 해 주세요.

2 부정 명령문: 「Don't+동사원형 〜.」의 형태이며, '〜하지 마라'라는 의미예요.

일반동사가 올 때 Don't+동사원형 〜.	be동사가 올 때 Don't be 〜.
Don't open the window. 창문을 열지 마라. Don't sit on the floor. 바닥에 앉지 마라.	Don't be late. 늦지 마라. Don't be shy. 부끄러워하지 마라.

조심해요! be동사가 있는 부정 명령문에서 be를 빠트리지 않도록 주의하세요.
Don't late. (X)   Don't be late. (O)

 **1** 명령문의 형태 고르기

우리말에 맞게 괄호 안에서 알맞은 것을 고르세요.

1 먼저 숙제를 해라. → (Do / Be) your homework first.

2 친구들에게 친절해라. → (Do / Be) kind to your friends.

3 너무 떠들지 마라. → (Not make / Don't make) too much noise.

4 슬퍼하지 마라. → (Don't / Don't be) sad.

우리말에 맞게 주어진 단어를 이용하여 빈칸에 알맞은 말을 쓰세요.

1　저녁 먹을 시간이다. 손을 **씻어라.** (wash)

→ It's dinner time. _____Wash_____ your hands.

2　탄산음료를 너무 많이 **마시지 마라.** 그것은 건강에 좋지 않다. (drink)

→ _____ _____ too much soda. It's not good for your health.

3　너는 잘할 것이다. 긴장하지 **마라.** (be)

→ You will do well. _____ _____ nervous.

4　너는 내일 시험이 있다. 일찍 **자라.** (go)

→ You have an exam tomorrow. _____ to bed early.

5　친구들은 중요하다. 그들에게 친절하게 **해라.** (be)

→ Friends are important. _____ nice to them.

6　지금 너무 많이 **먹지 마라.** 너는 곧 점심을 먹을 것이다. (eat)

→ _____ _____ too much now. You will have lunch soon.

7　그 물은 뜨겁다. **조심해라.** (be)

→ The water is hot. _____ careful.

8　창문을 **열지 마라.** 밖에 비가 오고 있다. (open)

→ _____ _____ the window. It's raining outside.

Point 2 제안문

1 제안문은 상대방에게 '(우리) ~하자'라고 제안할 때 쓰는 문장으로, 「Let's+동사원형 ~.」의 형태로 써요.

> Let's go home.   집에 **가자.**
> Let's be nice to others.   다른 사람들에게 친절하게 **대하자.**

cf. '~하지 말자'라는 의미의 부정 제안문은 Let's 뒤에 **not**을 써서 표현해요.

Let's not go swimming.   수영하러 **가지 말자.**
Let's not be late for school.   학교에 **지각하지 말자.**

2 제안문에 대한 대답은 다음과 같아요.

수락할 때	Okay. / Sure. 그래. / Yes, let's. 그래. 그러자. Sounds good. 좋아. / That's a good idea. 좋은 생각이야.
거절할 때	Sorry, but I can't. 미안하지만 난 할 수 없어. No, let's not. 아니. 그러지 말자.

> **조심해요!** 부정 제안문의 형태에 주의하세요.
> Don't let's take a bus. (X)   Let's not take a bus. (O)

Check Up 1 긍정 제안문과 부정 제안문 고르기

우리말에 맞게 괄호 안에서 알맞은 것을 고르세요.

1   TV를 보자.   →   (**Let's** / Let's not) watch TV.

2   간식을 먹자.   →   (Let's / Let's not) have some snacks.

3   너무 시끄럽게 하지 말자.   →   (Let's / Let's not) make too much noise.

4   택시를 타자.   →   (Let's / Let's not) take a taxi.

5   쇼핑하러 가지 말자.   →   (Let's / Let's not) go shopping.

우리말에 맞게 괄호 안에서 알맞은 것을 고르세요.

1 A Mom is busy. ((Let's help) / Help) her. 엄마가 바쁘셔. 엄마를 도와드리자.
   B Yes, let's. 그래. 그러자.

2 A (Let's meet / Let's not meet) tomorrow. 내일 만나지 말자.
   B Okay. 그래.

3 A (Let's play / Play let's) basketball together. 같이 농구하자.
   B Sorry, but I can't. 미안하지만 난 할 수 없어.

4 A (Let's not talk / Not let's talk) loudly. 큰 소리로 말하지 말자.
   B Sure. 그래.

5 A (Do sit / Let's sit) on the grass. 풀밭에 앉자.
   B No, let's not. 아니. 그러지 말자.

6 A (Let's not go / Let's go) to the movies. 영화 보러 가자.
   B That's a good idea. 그거 좋은 생각이야.

7 A (Let's finish / Let's not finish) our homework first. 먼저 우리의 숙제를 **끝내자**.
   B Sounds good. 좋아.

8 A (Invite / Let's invite) Kevin to the party. 파티에 Kevin을 초대하자.
   B That's a good idea. 그거 좋은 생각이야.

우리말에 맞게 주어진 단어를 빈칸에 일맞은 형태로 써서 문장을 완성하세요.

1 **open**

_____Open_____ the book. 책을 펴라.

_____Don't open_____ the book. 책을 펴지 마라.

2 **be**

_____ kind to others. 다른 사람들에게 **친절해라.**

_____ rude to others. 다른 사람들에게 무례하게 **굴지 마라.**

3 **stand**

Please _____ up. 일어나 주세요.

Please _____ up. 일어나지 마세요.

4 **drink**

_____ a lot of water. 물을 많이 마셔라.

_____ a lot of soda. 탄산음료를 많이 마시지 마라.

5 **take**

_____ a picture here. 여기서 사진을 **찍어라.**

_____ a picture here. 여기서 사진을 **찍지 말아라.**

6 **ride**

_____ our bikes in the park. 공원에서 자전거를 **타자.**

_____ our bikes on the road. 도로에서 자전거를 **타지 말자.**

7 **speak**

_____ quietly on the bus. 버스에서 조용히 말하자.

_____ loudly on the bus. 버스에서 큰 소리로 **말하지 말자.**

8 **eat**

_____ more vegetables. 채소를 더 많이 **먹자.**

_____ too much fast food. 패스트푸드를 너무 많이 **먹지 말자.**

사진을 보고 보기 에서 알맞은 말을 골라 문장을 완성하세요.

> 보기   ~~Let's not sit~~   Go   Don't swim   Don't be   Let's have   be

1

The bench is dirty.

_____Let's not sit_____ on it.

2

You are late for school.

_____ late again.

3

You look sleepy.

_____ to bed early.

4

I'm so hungry.

_____ lunch now.

5

This river is very deep.

_____ in this river.

6

The baby is sleeping.

Please _____ quiet.

WORD BANK   dirty 더러운   again 다시   river 강   deep 깊은

다음 문장을 지시대로 바꿔 쓰세요.

1　Close the door now.

부정문 → Don't close the door now.

2　Move this chair.

부정문 → _____

3　Let's cross the street here.

부정문 → _____

4　Wait for me.

부정문 → _____

5　Let's not go hiking tomorrow.

긍정문 → _____

6　Don't use this computer.

긍정문 → _____

7　Let's not invite many people.

긍정문 → _____

WORD BANK　　move 옮기다　　　cross 건너다　　　wait for ~을 기다리다　　　invite 초대하다

주어진 단어를 이용하여 우리말에 맞게 영작하세요.

1 도서관에서 **조용히 하자.** (quiet, in the library)

Let's	be	quiet	in the library.
	조용히 하자		도서관에서

2 지금 당장 네 방을 **청소해라.** (Clean, room, right now)

청소해라	네 방을	지금 당장

3 내일 **수영하러 가자.** (go swimming, tomorrow)

수영하러 가자	내일

4 시끄러운 음악을 **듣지 말자.** (listen to, loud music)

듣지 말자	시끄러운 음악을

5 교실에서 **뛰지 마라.** (run, in the classroom)

뛰지 마라	교실에서

6 네 친구들에게 **친절하게 해라.** (nice, to your friends)

친절하게 해라	네 친구들에게

7 점심으로 피자를 **먹자.** (eat, pizza, for lunch)

먹자	피자를	점심으로

A 표지판의 의미 쓰기

표지판을 보고 보기 에서 알맞은 문장을 골라 쓰세요.

보기   Be quiet.   Stop here.   Don't run.

1

_____

2

_____

3

_____

B 약속 정하기

우리말에 맞게 주어진 단어를 이용하여 메신저 대화를 완성하세요.

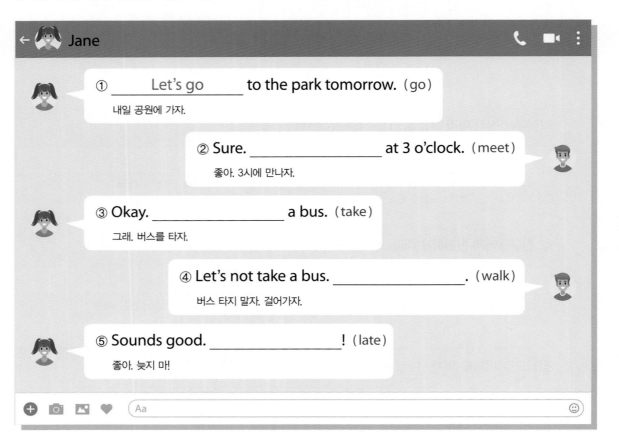

Jane

① _____Let's go_____ to the park tomorrow. (go)
내일 공원에 가자.

② Sure. _____ at 3 o'clock. (meet)
좋아. 3시에 만나자.

③ Okay. _____ a bus. (take)
그래. 버스를 타자.

④ Let's not take a bus. _____. (walk)
버스 타지 말자. 걸어가자.

⑤ Sounds good. _____! (late)
좋아. 늦지 마!

Aa

UNIT

15

감탄문

Point 1 What 감탄문

Point 2 How 감탄문

- 감탄문은 '~하구나!'라고 놀라움, 기쁨, 슬픔 등의 감정을 표현하는 문장이에요. 감탄문은 What이나 How를 써서 나타내요.

What a cute puppy this is!
정말 귀여운 강아지다!

How cute this puppy is!
이 강아지 정말 귀엽다!

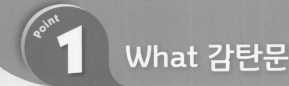

What 감탄문

감탄문에는 What 감탄문과 How 감탄문이 있어요.

1 What 감탄문은 「What+a/an+형용사+명사(+주어+동사)!」의 어순으로 쓰며, '정말 ~한 …구나!'라는 의미예요.

> It is **a very tall building.**   그것은 매우 높은 빌딩이다.   〈평서문〉
>
> What **a tall building** it is!   그것은 **정말 높은 빌딩이구나!**   〈감탄문〉

cf. 감탄문에서 「주어+동사」는 생략하는 경우가 많아요.   What a nice day (it is)! 정말 좋은 날씨구나!

2 What 감탄문에서 형용사의 첫소리가 모음(a, e, i, o, u)일 때는 부정관사 an을 써요.

> What an **expensive** car it is!   그것은 정말 비싼 차구나!
>
> What an **old** house it is!   그것은 정말 오래된 집이구나!

> **비교해요!**   감탄문 vs. 의문문
> 감탄문과 의문문은 주어와 동사의 어순이 다르며, 문장 끝의 문장 부호도 달라요.
> **What** a big house it is!   그것은 정말 큰 집이구나!   〈감탄문〉
> **What** time is it?   몇 시니?   〈의문문〉

Check Up   **1** What 감탄문의 의미 고르기

다음 문장을 바르게 해석한 것을 고르세요.

1 | What a small chair it is!
- ⓐ 그것은 작은 의자이다.
- ✓ⓑ 그것은 정말 작은 의자구나!

2 | What a kind girl she is!
- ⓐ 그녀는 정말 친절한 소녀구나!
- ⓑ 그녀는 친절한 소녀이다.

3 | What a nice bike it is!
- ⓐ 그것은 근사한 자전거이다.
- ⓑ 그것은 정말 근사한 자전거구나!

다음 문장을 **What** 감탄문으로 바꿀 때 빈칸에 알맞은 말을 쓰세요.

1 It is a very thick book.

→ ___What___ ___a___ ___thick___ ___book___ it is!

2 It is a really nice idea.

→ _____ _____ _____ _____ it is!

3 It is an interesting movie.

→ _____ _____ _____ _____ it is!

4 She has a very pretty bag.

→ _____ _____ _____ _____ she has!

5 John is a very strong boy.

→ _____ _____ _____ _____ John is!

6 It is a very clean room.

→ _____ _____ _____ _____ it is!

7 It is a very deep lake.

→ _____ _____ _____ _____ it is!

8 It is an old car.

→ _____ _____ _____ _____ it is!

Point 2 How 감탄문

1 How 감탄문은 「How+형용사/부사(+주어+동사)!」의 어순으로 쓰며, '정말 ~하구나!'라는 의미예요. What 감탄문과 마찬가지로 문장 뒤의 「주어+동사」는 생략하는 경우가 많아요.

She is **very** strong.	그녀는 무척 힘이 세다.	〈평서문〉
How **strong** she is!	그녀는 **정말** 힘이 세구나!	〈형용사가 있는 감탄문〉
He runs **really fast.**	그는 정말 빨리 달린다.	〈평서문〉
How **fast** he runs!	그는 정말 빨리 달리는구나!	〈부사가 있는 감탄문〉

2 **What 감탄문과 How 감탄문**

What 감탄문은 What 뒤에 「a/an+형용사+명사」가 오고, How 감탄문은 How 뒤에 형용사나 부사가 와요.

What <u>a smart girl</u> (she is)! (형용사) (명사)	(그녀는) 정말 똑똑한 소녀구나!	〈What 감탄문〉
How <u>smart</u> (the girl is)! (형용사)	(그 소녀는) 정말 똑똑하구나!	〈How 감탄문〉

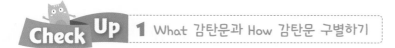

Check **Up** **1** What 감탄문과 How 감탄문 구별하기

괄호 안에서 알맞은 것을 고르세요.

1 (What / **How**) smart she is!

2 (What / How) an interesting story!

3 (What / How) a long movie it is!

4 (What / How) beautifully he sings!

5 (What / How) expensive the phone is!

다음 문장을 **How** 감탄문으로 바꿀 때 빈칸에 알맞은 말을 쓰세요.

1   The house is really expensive.

→ ___How___ ___expensive___ the house is!

2   She can jump very high.

→ _____ _____ she can jump!

3   The turtle moves very slowly.

→ _____ _____ the turtle moves!

4   They are very kind.

→ _____ _____ they are!

5   His eyes are really pretty.

→ _____ _____ his eyes are!

6   Your ideas are really wonderful.

→ _____ _____ your ideas are!

7   Kevin runs really fast.

→ _____ _____ Kevin runs!

8   This game is very exciting.

→ _____ _____ this game is!

빈칸에 알맞은 말을 써서 감탄문을 완성하세요.

1
<u>   What   </u> a big backpack it is! 그것은 정말 큰 배낭이구나!

<u>   How   </u> big the backpack is! 그 배낭은 정말 크구나!

2
_____ a boring book it is! 그것은 정말 지루한 책이구나!

_____ boring the book is! 그 책은 정말 지루하구나!

3
_____ fast she runs! 그녀는 정말 빨리 달리는구나!

_____ a fast runner she is! 그녀는 정말 빠른 주자구나!

4
_____ a nice car it is! 그것은 정말 근사한 차구나!

_____ nice the car is! 그 차는 정말 근사하구나!

5
_____ kind your sister is! 네 여동생은 정말 친절하구나!

_____ a kind girl she is! 그녀는 정말 친절한 소녀구나!

6
_____ wonderful the picture is! 그 그림은 정말 멋지구나!

_____ a wonderful picture it is! 그것은 정말 멋진 그림이구나!

7
_____ an easy game this is! 이것은 정말 쉬운 게임이구나!

_____ easy this game is! 이 게임은 정말 쉽구나!

사진을 보고 주어진 단어를 이용하여 감탄문을 완성하세요.

1

____How____ ____sweet____ the cake is!
(sweet)

2

_____ a _____ man he is!
(strong)

3

_____ a _____ room it is!
(clean)

4

_____ an _____ bag it is!
(expensive)

5

_____ _____ the picture is!
(colorful)

6

_____ _____ the question is!
(difficult)

WORD BANK   sweet 달콤한   colorful 형형색색의   question 문제, 질문   difficult 어려운

다음 문장을 지시대로 바꿔 쓰세요.

1

It is a very long river.

What 감탄문 → _____What a long river_____ it is!

2

It is an old bike.

What 감탄문 → _____ it is!

3

It is a very comfortable sofa.

What 감탄문 → _____ it is!

4

He is a kind boy.

What 감탄문 → _____ he is!

5

The story is so sad.

How 감탄문 → _____ the story is!

6

Tony dances very beautifully.

How 감탄문 → _____ Tony dances!

7

She talks very quietly.

How 감탄문 → _____ she talks!

8

The news is really exciting.

How 감탄문 → _____ the news is!

주어진 단어를 이용하여 우리말에 맞게 영작하세요. (필요한 경우 a 또는 an을 쓸 것)

1 그것은 정말 지루한 영화구나! (boring, movie)

| What | a | boring | movie | it is! |

정말   지루한 영화

2 너는 정말 높이 뛰는구나! (high)

[   ] [   ] you jump!

정말   높이

3 그것은 정말 재미있는 이야기구나! (interesting, story)

[   ] [   ] it is!

정말   재미있는 이야기

4 그 개는 정말 빨리 달리는구나! (fast)

[   ] [   ] the dog runs!

정말   빨리

5 그녀는 정말 똑똑한 학생이구나! (smart, student)

[   ] [   ] she is!

정말   똑똑한 학생

6 그 소식은 정말 슬프구나! (sad)

[   ] [   ] the news is!

정말   슬픈

7 그것은 정말 좋은 생각이구나! (wonderful, idea)

[   ] [   ] it is!

정말   좋은 생각

A 서술형 **WRITING**

A 감탄문 완성하기

사진을 보고 주어진 단어를 이용하여 감탄문을 완성하세요.

1

This car is really nice.

→ _____ _____ this car is!

(How)

2

He has a wonderful voice.

→ _____ _____ _____

_____ he has! (What)

B 감탄문 쓰기

사진을 보고 주어진 단어를 바르게 배열하여 감탄하는 말을 쓰세요.

1

A Everybody knows Ms. Jones.

B _____ How famous she is _____! 그녀는 정말 유명하구나!
(she, is, famous, How)

2

A I bought a rose for you.

B _____! 정말 아름다운 장미구나!
(What, rose, a, beautiful)   * rose: 장미

3

A Look! The baby is smiling.

B _____! 그는 정말 귀엽구나!
(cute, is, How, he)

16

비인칭 주어 it

Point 1 비인칭 주어 it (1)

Point 2 비인칭 주어 it (2)

- 시각, 요일, 날씨 등을 나타낼 때 주어로 it을 사용하는데, 이때 쓰이는 it을 비인칭 주어라고 해요.

It is sunny. 화창하다.

It is Monday. 월요일이다.

* 비인칭 주어: 지칭하는 대상이 없는 주어

1 비인칭 주어 it (1)

1 비인칭 주어 it은 시각, 요일, 날짜 등을 나타낼 때 써요. 비인칭 주어 it은 대명사 it과 달리 '그것'이라고 해석하지 않아요.

시각	A	What time is it?	몇 시니?
	B	It is 10 o'clock.	10시야.
요일	A	What day is it?	무슨 요일이야?
	B	It's Wednesday.	수요일이야.
날짜	A	What's the date today?	오늘이 며칠이니?
	B	It is July 5.	7월 5일이야.

2 시각, 요일, 월을 나타내는 표현은 다음과 같아요.

시각 표현	o'clock 시(정각)	a.m. 오전	p.m. 오후	three fifty 3시 50분
요일 표현	Monday 월요일 Friday 금요일	Tuesday 화요일 Saturday 토요일	Wednesday 수요일 Sunday 일요일	Thursday 목요일
월 표현	January 1월 May 5월 September 9월	February 2월 June 6월 October 10월	March 3월 July 7월 November 11월	April 4월 August 8월 December 12월

조심해요! 영어로 날짜를 표기할 때는 숫자를 쓰지만, 읽을 때는 서수로 읽어야 해요.
• 표기 방법: It is July 5.
• 읽는 방법: It is July fifth.

※ 서수는 첫째, 둘째 등 순서나 차례를 셀 때 쓰이며, 보통 '기수+th' 형태로 만들어요.

first (1st) second (2nd) third (3rd) fourth (4th) fifth (5th)
sixth (6th) seventh (7th) eighth (8th) ninth (9th) tenth (10th) ...

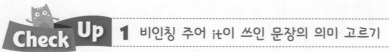

Check Up 1 비인칭 주어 it이 쓰인 문장의 의미 고르기

다음 문장을 바르게 해석한 것을 고르세요.

1 It is 11 o'clock.   ⓐ 그것은 11시다.   ✓ⓑ 11시다.

2 It is Friday.   ⓐ 그것은 금요일이다.   ⓑ 금요일이다.

3 It is a book.   ⓐ 그것은 책이다.   ⓑ 책이다.

4 It is 1:30.   ⓐ 그것은 1시 30분이다.   ⓑ 1시 30분이다.

5 It is Tuesday.   ⓐ 그것은 화요일이다.   ⓑ 화요일이다.

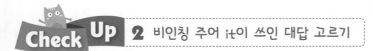

Check Up 2 비인칭 주어 it이 쓰인 대답 고르기

다음 질문에 대한 대답으로 알맞은 것을 고르세요.

1 What time is it now?
- ✓ It is 7 o'clock.
- ☐ It is Sunday.

2 What day is it?
- ☐ It is 8 p.m.
- ☐ It is Thursday.

3 What time is it?
- ☐ It is 6 a.m.
- ☐ It is March 3.

4 What day is it today?
- ☐ It is 4 o'clock.
- ☐ It is Saturday.

5 What's the date today?
- ☐ It is Tuesday.
- ☐ It is October 2.

Point 2 비인칭 주어 it (2)

1 비인칭 주어 it은 날씨, 계절, 거리, 명암을 나타낼 때도 써요.

날씨	A	How's the weather?	날씨가 어떠니?
	B	It is sunny.	화창해.
계절	A	What season is it?	무슨 계절이니?
	B	It is summer.	여름이야.
거리	A	How far is it?	얼마나 머니?
	B	It is 2 km from here.	여기서 2킬로미터 거리야.
명암	A	Is it dark outside?	바깥은 어둡니?
	B	No, it's bright outsde.	아니, 바깥은 밝아.

cf. 비인칭 주어 it으로 거리를 나타낼 때 「It takes+시간 표현」으로도 말할 수 있어요.
A How far is the park? 공원은 얼마나 머니?
B It **takes** 10 minutes. 10분 걸려.

2 날씨, 계절을 나타내는 표현은 다음과 같아요.

날씨 표현	sunny 화창한	cloudy 흐린	windy 바람 부는	rainy 비 오는
	snowy 눈 오는	warm 따뜻한	hot 더운	cold 추운
계절 표현	spring 봄	summer 여름	fall/autumn 가을	winter 겨울

 **Check Up 1** 비인칭 주어 it이 쓰인 문장의 의미 고르기

다음 문장을 바르게 해석한 것을 고르세요.

1 It is spring soon.   ⓐ 그것은 곧 봄이다.   ✓ⓑ 곧 봄이다.

2 It is bright outside.   ⓐ 그것은 바깥이 밝다.   ⓑ 바깥이 밝다.

3 It takes 5 minutes.   ⓐ 그것은 5분 걸려.   ⓑ 5분 걸려.

4 It is cloudy.   ⓐ 그것은 흐리다.   ⓑ 흐리다.

Check Up 2 비인칭 주어 it이 쓰인 대답 고르기

다음 질문에 대한 대답으로 알맞은 것을 고르세요.

1 How is the weather?
ⓐ It's dark.
ⓑ It's sunny. ✓

2 What season is it now?
ⓐ It's fall.
ⓑ It's May.

3 How far is it?
ⓐ It's not here.
ⓑ It's 5 km from here.

4 How's the weather outside?
ⓐ It's cold and windy.
ⓑ It takes 30 minutes.

5 What season is it there?
ⓐ It's sunny there.
ⓑ It's summer there.

6 How's the weather in New York?
ⓐ It's warm and sunny.
ⓑ It's spring.

7 How far is it to the store?
ⓐ It takes 20 minutes from here.
ⓑ It's bright.

우리말에 맞게 문장을 완성하세요.

1   ____It____   ____is____   **10 o'clock now.** 지금은 10시 정각이다.

    ____It____   ____is____   **2 p.m.** 오후 2시이다.

2   It's _____ **in Korea.** 한국은 여름이다.

    It's _____ **in New Zealand.** 뉴질랜드는 겨울이다.

3   It is _____ **now.** 지금은 6월이다.

    It was _____ **last month.** 지난 달은 5월이었다.

4   _____ **is 50 meters from here.** 여기서 50미터 거리이다.

    _____ **takes 10 minutes from here.** 여기서 10분 걸린다.

5   It is _____ **today.** 오늘은 일요일이다.

    It is _____ **tomorrow.** 내일은 월요일이다.

6   It is _____ **and** _____ **today.** 오늘은 덥고 비가 온다.

    It was _____ **and** _____ **yesterday.** 어제는 흐리고 바람이 불었다.

7   _____ _____ **bright outside.** 바깥이 환하다.

    _____ _____ **dark in the room.** 방 안이 어둡다.

사진을 보고 보기 에서 알맞은 말을 골라 문장을 완성하세요. (필요한 경우 비인칭 주어를 쓸 것)

| 보기 | ~~windy~~ | Tuesday | April 1 | summer | 9 o'clock |

1

A How is the weather?

B _____It_____ is ____windy____ .

2

A What's the date today?

B It's _____.

3

A What time is it now?

B It's _____.

4

A How far is it?

B _____ is 5 km from here.

5

A Is _____ Monday today?

B No. It's _____.

6

A Is _____ winter there?

B No. It's _____ there.

다음 문장을 우리말로 해석하세요.

1   It is December 7.
→ _____12월 7일이다._____

2   It is Saturday.
→ _____

3   It is warm today.
→ 오늘은 _____.

4   It is Dad's birthday today.
→ 오늘은 _____.

5   It's 11 a.m. now.
→ 지금은 _____.

6   It is bright in here.
→ 여기 안은 _____.

7   What day is it today?
→ 오늘은 _____?

8   What's the date tomorrow?
→ 내일은 _____?

주어진 단어와 비인칭 주어를 이용하여 우리말에 맞게 영작하세요.

1 지금은 3시 정각이다. (3 o'clock, now)

It	is	3 o'clock	now.
	이다	3시 정각	지금은

2 내일은 수요일이다. (Wednesday, tomorrow)

	이다	수요일	내일은

3 오늘은 무슨 요일이니? (What, day, today)

무슨 요일	이니		오늘은

4 바깥은 환하고 따뜻하다. (bright, warm, outside)

	이다	환하고 따뜻한	바깥은

5 여기서 10미터 거리이다. (10 meters, from here)

	이다	10미터	여기서

6 5월이고 봄이다. (May, and, spring)

5월이다	그리고	봄이다

7 오늘은 9월 9일이다. (September 9, today)

	이다	9월 9일	오늘은

Answers p.20

A 사진에 맞게 대화 완성하기

사진을 보고 주어진 단어와 비인칭 주어를 이용하여 대화를 완성하세요.

1

A What day is it today?

B _____It is Friday._____ (Friday)

2

A What time is it now?

B _____ (8 o'clock)

3

A It's already 9 p.m.

B Yes. _____ (dark outside)

B 일기예보 표를 보고 답하기

오늘과 내일의 일기예보 표를 보고, 비인칭 주어를 이용하여 질문에 답하세요.

Today	Tomorrow
July 15 (Monday)	July 16 (Tuesday)
rainy	sunny

1 What season is it?

→ _____It is summer._____

2 What is the date today?

→ _____ today.

3 How is the weather today?

→ _____ today.

4 What day is it tomorrow?

→ _____ tomorrow.

1 우리말에 맞게 빈칸에 들어갈 말로 알맞은 것을 고르세요.

> Sam은 키가 크고 힘이 세다.
>
> → Sam is tall _____ strong.

① and　　② but　　③ or

④ so　　⑤ because

2 빈칸에 들어갈 말이 바르게 짝 지어진 것을 고르세요.

> • I like sports, ____ⓐ____ Jina doesn't like sports.
>
> • I didn't sleep well last night, ____ⓑ____ I'm very sleepy.

ⓐ　　ⓑ　　　　ⓐ　　ⓑ
① or – and　　② or – but
③ but – so　　④ so – because
⑤ but – because

3 우리말을 영어로 바르게 옮긴 것을 고르세요.

> 모임에 늦지 마라.

① Not late for the meeting.

② Don't late for the meeting.

③ Not be late for the meeting.

④ Be not late for the meeting.

⑤ Don't be late for the meeting.

4 대화의 빈칸에 들어갈 말로 알맞은 것을 고르세요.

> A _____ play soccer today.
>
> B Okay. let's.

① Let's　　② Let's be

③ Not let's　　④ Let's not

⑤ Don't let's

5 밑줄 친 부분이 잘못된 것을 고르세요.

① <u>How</u> beautiful she is!

② <u>How</u> fast the cheetah runs!

③ <u>What</u> a thick book it is!

④ <u>How</u> a smart student he is!

⑤ <u>What</u> a tall building it is!

도전문제
6 다음 문장을 감탄문으로 바르게 바꿔 쓴 것을 고르세요.

> It is an expensive bike.

① How expensive bike it is!

② How a expensive bike it is!

③ What expensive bike it is!

④ What a expensive bike it is!

⑤ What an expensive bike it is!

7 대화의 빈칸에 들어갈 말로 알맞은 것을 고르세요.

> A How's the weather today?
> B _____ is windy.

① He　　　　② It

③ This　　　④ That

⑤ How

8 밑줄 친 **It**의 쓰임이 나머지와 <u>다른</u> 것을 고르세요.

① <u>It</u> is 7 o'clock now.

② <u>It</u> is a very old car.

③ <u>It</u> is dark in this room.

④ <u>It</u> is June 10 tomorrow.

⑤ <u>It</u> is 3 km from here.

서 술 형

9 다음 두 문장을 한 문장으로 연결할 때 빈칸에 알맞은 접속사를 쓰세요.

> • Tom drank a lot of water.
> • He was very thirsty.

→ Tom drank a lot of water _____ he was very thirsty.

10 표지판을 보고 주어진 단어를 이용하여 명령문을 완성하세요.

_____ _____ in the museum.

(eat)

11 다음 문장을 감탄문으로 바꿀 때 빈칸에 알맞은 말을 쓰세요. (a 또는 an을 포함할 것)

> It is an interesting movie.

→ _____ _____ _____ _____ it is!

12 대화의 빈칸에 공통으로 들어갈 알맞은 말을 쓰세요. (대문자와 소문자를 구별하여 쓸 것)

> A What day is _____ today?
> B _____ is Tuesday.

문장 쓰기가 쉬워지는 초등 영문법

Grammar CLEAR Starter 2

Answers

동아출판

Grammar CLEAR Starter 2

Answers

UNIT 01 be동사 과거형

Point 1 　be동사 과거형의 형태와 의미

Check Up 1 　　　　　　　　　　　　　p.8

1 was	2 were	3 was
4 were	5 was	6 were

Check Up 2 　　　　　　　　　　　　　p.9

1 were	2 was	3 was
4 were	5 was	6 were
7 was	8 were	9 were
10 was		

Point 2 　be동사 과거형의 부정문

Check Up 1 　　　　　　　　　　　　　p.10

1 was not	2 were not	3 were not
4 was not	5 was not	6 were not

Check Up 2 　　　　　　　　　　　　　p.11

1 was not, were not	2 was not, were not
3 was not, were not	4 was not, were not
5 wasn't, weren't	6 wasn't, weren't
7 wasn't, weren't	

Point 3 　be동사 과거형의 의문문

Check Up 1 　　　　　　　　　　　　　p.12

1 Was, was	2 Were, was
3 Was, wasn't	4 Were, weren't

Check Up 2 　　　　　　　　　　　　　p.13

1 Was he	2 Was I
3 Were they	4 Was it
5 Were you	6 Was she
7 Was he	8 Were these shoes
9 Were the books	10 Was the park

TRAINING 1 　사진 보고 문장 완성하기 　　p.14

1 wasn't, was	2 weren't, were
3 weren't, were	4 Was, was
5 Were, wasn't	6 Were, weren't

TRAINING 2 　틀린 문장 고쳐 쓰기 　　　p.15

1 X, was	2 O

3 X, weren't[were not]	4 X, was
5 X, Were	6 X, wasn't[was not]
7 X, were	8 X, Were

TRAINING 3 　문장 바꿔 쓰기 　　　　　p.16

1 I was very hungry.
2 She was a famous writer.
3 The soccer game wasn't exciting.
4 He wasn't at the bus stop.
5 The students weren't in the museum.
6 Were they in the same class?
7 Was Mr. Brown a dentist?

TRAINING 4 　통문장 쓰기 　　　　　　p.17

1 We / were / in Seoul / last year.
2 He / wasn't / tall / two years ago.
3 Were / they / on the same team?
4 I / wasn't / in the theater / last night.
5 She / was / a singer / ten years ago.
6 Were / you / busy / last week?
7 Was / he / your homeroom teacher?

서술형 WRITING 　　　　　　　　　　p.18

A 1 Was, she wasn't, was
　 2 Were, I wasn't, was
　 3 Were, they were

B ① was 　　② was 　　③ were
　 ④ is 　　　⑤ is

해석

A 1 A Jane은 어제 아팠니?
　　 B 아니, 그렇지 않았어. 그녀는 괜찮았어.
　 2 A 너는 어제 파티에 있었니?
　　 B 아니, 그렇지 않았어. 나는 집에 있었어.
　 3 A Jack과 Tina는 어제 교실에 있었니?
　　 B 응, 그랬어.

B 〈작년〉
　 • Tony는 135센티미터였다.
　 • 그는 부끄러움을 많이 탔다.
　 • 그가 가장 좋아하는 과목은 과학과 수학이었다.
　 〈현재〉
　 • Tony는 140센티미터이다.
　 • 그는 부끄러움을 많이 타지 않는다.
　 • 그가 가장 좋아하는 과목은 음악이다.

Point 1 일반동사의 과거형: 규칙 변화

Check Up 1 p.20

1 played 2 opened
3 lived 4 wanted
5 studied 6 stopped

Check Up 2 p.21

1 walked 2 talked
3 cleaned 4 visited
5 called 6 helped
7 used 8 loved
9 closed 10 liked
11 moved 12 smiled
13 tried 14 cried
15 studied 16 carried
17 stopped 18 planned
19 jogged 20 dropped

Point 2 일반동사의 과거형: 불규칙 변화

Check Up 1 p.22

1 cut 2 went
3 made 4 bought
5 rode 6 put

Check Up 2 p.23

1 did 2 read
3 saw 4 knew
5 met 6 sang
7 wrote 8 drew
9 taught 10 put
11 gave 12 came
13 had 14 made
15 ate 16 drank
17 sent 18 slept
19 bought 20 built

TRAINING 1 문장 비교하기 p.24

1 play, played 2 live, lived
3 studies, studied 4 has, had
5 eat, ate 6 sleeps, slept

TRAINING 2 사진 보고 문장 완성하기 p.25

1 walked 2 closed
3 cried 4 rode
5 cut 6 drank

TRAINING 3 틀린 문장 고쳐 쓰기 p.26

1 X, danced 2 X, went
3 X, stopped 4 X, met
5 O 6 X, put
7 X, swam 8 X, did

TRAINING 4 통문장 쓰기 p.27

1 He / bought / a new bike.
2 We / played / basketball / yesterday.
3 Amy / went / to school / early.
4 They / lived / in New York / last year.
5 Tom / did / his homework / after dinner.
6 She / ate / pizza / for lunch.
7 They / studied / for the test.

서술형 **WRITING** p.28

A 1 had 2 went
　 3 liked
B ① opened ② was
　 ③ sent ④ read

해석

A 〈작년〉
　• Emily는 짧은 머리를 가지고 있었다.
　• 그녀는 초등학교에 다녔다.
　• 그녀는 분홍색을 좋아했다.
　〈현재〉
　• Emily는 긴 머리를 가지고 있다.
　• 그녀는 중학교에 다닌다.
　• 그녀는 노란색을 좋아한다.

B 　오늘 아침, 나는 이메일함을 열었다. Ted에게서 온 이메일이 있었다. 그는 작년에 나의 반 친구였다. 그는 아주 긴 메일을 보냈다. 나는 행복하게 그것을 읽었다. 나는 그가 그립다.

UNIT 03 일반동사 과거형 2

Point 1 일반동사 과거형의 부정문

Check Up 1 p.30

1 didn't
2 didn't
3 didn't
4 clean

Check Up 2 p.31

1 didn't play
2 didn't go
3 didn't wait
4 didn't watch
5 didn't make
6 didn't buy
7 didn't answer
8 didn't work
9 didn't play
10 didn't write

Point 2 일반동사 과거형의 의문문

Check Up 1 p.32

1 study
2 go
3 play
4 do

Check Up 2 p.33

1 Did she take
2 Did you see
3 Did he wash
4 Did she drink
5 Did Ted sing
6 Did they listen
7 Did Emily open
8 Did John meet
9 Did Jina send
10 Did, come

TRAINING 1 사진 보고 문장 완성하기 p.34

1 didn't play, played
2 didn't teach, taught
3 didn't ride, rode
4 Did, wash, did
5 Did, eat, didn't
6 Did, visit, did

TRAINING 2 틀린 문장 고쳐 쓰기 p.35

1 X, play
2 X, didn't[did not]
3 O
4 X, come
5 X, Did
6 O
7 X, Did
8 X, sleep

TRAINING 3 문장 바꿔 쓰기 p.36

1 I didn't swim in the pool.
2 Paul didn't have breakfast today.
3 She didn't study in the library.
4 Did he finish his homework?
5 Did Jenny make this doll?
6 Did she eat a sandwich?
7 Did they go swimming last Saturday?

TRAINING 4 통문장 쓰기 p.37

1 I / didn't meet / Ted / yesterday.
2 She / didn't have / breakfast.
3 John / didn't do / his homework.
4 He / didn't sleep / well.
5 Did / he / go shopping / last week?
6 Did / you / get up / early / yesterday?
7 Did / they / live / here / last year?

서술형 WRITING p.38

A 1 Did, eat
2 Did, buy, bought
3 Did, meet, they did

B ① didn't watch
② didn't read
③ didn't call
④ didn't go

해석

A 1 A 그는 오늘 아침에 햄버거를 먹었니?
B 아니, 안 먹었어. 그는 피자를 먹었어.
2 A 너는 지난 주말에 신발을 샀니?
B 아니, 안 샀어. 나는 셔츠를 좀 샀어.
3 A 그들은 어제 그들의 조부모님을 만났니?
B 응, 만났어.

B 어제, Lisa는 그녀의 방을 청소했지만, 영화는 보지 않았다. 그녀는 책을 읽지 않았다. 그녀는 Jina에게 전화를 하지 않았다. 그녀는 공원에 가지 않았다.

Point 1 will의 긍정문

Check Up 1 p.40

1 buy	2 go
3 play	4 meet
5 be	6 will

Check Up 2 p.41

1 ⓑ	2 ⓑ
3 ⓐ	4 ⓑ
5 ⓐ	

Check Up 3 p.41

1 I'll	2 You'll
3 She'll	4 He'll
5 We'll	6 They'll

Point 2 will의 부정문

Check Up 1 p.42

1 will not	2 not
3 will not	4 drink
5 wear	

Check Up 2 p.43

1 ⓑ	2 ⓑ
3 ⓐ	4 ⓑ

Check Up 3 p.43

1 will not study	2 will not go
3 will not cook	4 won't go
5 won't ride	6 won't buy

Point 3 will의 의문문

Check Up 1 p.44

1 Will, will	2 Will, will
3 go, won't	4 visit, won't

Check Up 2 p.45

1 Will he be	2 Will they change
3 Will it snow	4 Will Amy buy
5 Will she learn	6 Will Kevin help
7 Will they play	8 Will she bake
9 Will, go	10 Will, start

TRAINING 1   사진 보고 문장 완성하기 p.46

1 won't play, will play
2 won't buy, will buy
3 won't drink, will drink
4 Will, watch, will
5 Will, read, won't
6 Will, come, will

TRAINING 2   틀린 문장 고쳐 쓰기 p.47

1 X, will	2 X, play
3 X, have	4 O
5 X, come	6 X, Will
7 X, start	8 X, be

TRAINING 3   문장 바꿔 쓰기 p.48

1 They will live in Canada.
2 He will play the piano.
3 We won't be late.
4 Kate won't wear the pink dress.
5 Will the students learn Chinese?
6 Will he take pictures here?
7 Will she go to the museum?

TRAINING 4   통문장 쓰기 p.49

1 We / will go / to the market.
2 Paul / will be / thirteen years old / next year.
3 They / will arrive / soon.
4 He / will visit / London / tomorrow.
5 I / won't eat / fast food / again.
6 Will / you / walk / to school?
7 Will / our team / win / tomorrow?

A **1** Will, take, will take   **2** Will, join, will join
B   ① will have   ② will sell
    ③ will bake   ④ will make
    ⑤ will have

해석

A **1** A 너는 학교에 지하철을 타고 갈 거니?
      B 아니, 안 탈 거야. 역은 여기서 멀어. 나는 학교 버스를 탈 거야.

2 A 그녀는 우리 수학 동아리에 가입할 거니?
      B 아니, 안 할 거야. 그녀는 수학을 좋아하지 않아. 그녀는 테니스 동아리에 가입할 거야.

B 우리 학교는 다음 주 화요일에 벼룩시장을 연다. 나는 아이스크림을 판다. Paul은 쿠키를 굽는다. Sam은 주스를 만든다. 우리는 재미있게 논다!
→ 우리 학교는 다음 주 화요일에 벼룩시장을 열 것이다. 나는 아이스크림을 팔 것이다. Paul은 쿠키를 구울 것이다. Sam은 주스를 만들 것이다. 우리는 재미있게 놀 것이다!

UNIT 05 미래를 나타내는 be going to

Point 1 be going to의 긍정문

Check Up 1   p.52

1 is going to   **2** learn
3 are going to   **4** come
5 play

Check Up 2   p.53

1 am   **2** is
3 are   **4** is going to
5 is going to   **6** are going to help
7 is going to make   **8** are going to study

Point 2 be going to의 부정문

Check Up 1   p.54

1 ①   **2** ②
3 ①   **4** ①

Check Up 2   p.55

1 is not going to   **2** am not going to
3 is not going to   **4** are not going to
5 is not going to   **6** isn't going to
7 aren't going to   **8** isn't going to

Point 3 be going to의 의문문

Check Up 1   p.56

1 Is, is   **2** Are, am
3 be, isn't   **4** to clean, aren't

Check Up 2   p.57

1 Is she going to   **2** Are we going to
3 Is it going to   **4** Is he going to
5 Are they going to **6** Is she going to
7 Are, going to   **8** Is, going to

TRAINING 1   사진 보고 문장 완성하기   p.58

1 is not going to wear, is going to wear
2 are not[aren't] going to make,
     are going to make
3 are not[aren't] going to play,
     are going to play
4 Is, going to rain
5 Is, going to visit
6 Are, going to buy

TRAINING 2   틀린 문장 고쳐 쓰기   p.59

1 X, have   **2** X, am
3 O   **4** X, not going to
5 X, isn't[is not]   **6** X, to clean
7 X, Is   **8** X, Is she going

TRAINING 3   문장 바꿔 쓰기   p.60

1 I'm going to take a shower.
2 He's going to sing at the party.
3 We're not going to visit Europe.
4 She's not going to come back.
5 They're not going to study with us.
6 Is he going to make a sandwich?
7 Are you going to stay home?

TRAINING 4 통문장 쓰기 p.61

1 We / are going to play / badminton.
2 Mom and I / are going to watch / a baseball game.
3 Tom / is going to learn / Chinese.
4 They / aren't going to visit / us.
5 We / aren't going to buy / the bike.
6 Are / you / going to have / dinner?
7 Is / she / going to help / you?

서술형 WRITING p.62

A　**1** is going to meet　**2** isn't going to see
　　3 is going to play　**4** isn't going to study

B　① am going to visit　② Are, going to buy
　　③ are going to make

해석

A　**1** John은 Sam을 만날 것이다.
　　2 그는 영화를 보지 않을 것이다.
　　3 그는 농구를 할 것이다.
　　4 그는 도서관에서 공부하지 않을 것이다.

B　**Boy:** 내일은 우리 할머니 생신이셔. 나는 할머니를 뵈러 갈 거야.
　　Girl: 너는 할머니를 위해 뭔가를 살 거니?
　　Boy: 아니. 우리 엄마랑 내가 케이크를 만들 거야.

REVIEW TEST 1 (Units 1-5) pp.63~64

1 ⑤　**2** ④　**3** ③　**4** ④　**5** ①　**6** ⑤　**7** ③
8 ②　**9** went, were　**10** will play basketball
11 Are, aren't　**12** Andy did not[didn't] buy a new shirt.

1 Jina와 나는 작년에 같은 동아리에 있었다.
　해설　주어가 복수이고 과거를 나타내는 last year가 있으므로 ⑤ were가 알맞다.

2 **A** 너는 어제 집에 있었니?
　　B 아니, 집에 있지 않았어.
　해설　질문에서는 과거를 나타내는 yesterday가 있고 주어가 you이므로 Are의 과거형인 Were가 알맞다. 대답에서는 No로 시작하고 주어가 I이므로 wasn't가 알맞다.

3 해설　③ 「단모음+단자음」으로 끝나는 동사는 마지막 자음을 한 번 더 쓰고 -ed를 붙이므로 stopped가 되어야 한다.

4 해설　일반동사 과거형의 부정문은 「주어+did not+동사원형 ~.」으로 쓰며 did not은 didn't로 줄여 쓸 수 있다.

5 ① 나는 지난주에 책을 샀다.
　　② 우리는 어제 수영을 갔다.
　　③ Kevin은 축구를 하지 않았다.
　　④ 그녀는 집에 일찍 왔니?
　　⑤ 너는 지난 일요일에 Sam을 만났니?
　해설　① 과거를 나타내는 last week이 있으므로 buy의 과거형인 bought가 쓰였다. ② 과거를 나타내는 yesterday가 있으므로 go의 과거형인 went를 써야 한다. ③ didn't 뒤에는 동사원형을 써야 한다. played → play ④ 일반동사 과거형의 의문문

에서 주어 뒤에 오는 동사는 원형이어야 한다. came → come
⑤ 일반동사 과거형의 의문문이므로 Were가 아니라 Did가 알맞다.

6 해설　미래를 나타내는 tomorrow가 있으므로 「will+동사원형」이 알맞다.

7 ・나는 학교에 지각하지 않을 것이다.
　　・Lisa는 자전거를 탈 것이다.
　해설　ⓐ 앞에 won't가 있으므로 be동사의 원형인 be가 알맞다. ⓑ 뒤에 「going to+동사원형」이 있으므로 is가 알맞다.

8 ① 너는 그녀를 도울 거니?
　　② Tom은 우리와 함께할 거니?
　　③ 나는 햄버거를 먹을 것이다.
　　④ 그녀는 이번 여름에 파리에 갈 것이다.
　　⑤ Kevin은 우리와 함께 캠핑을 가지 않을 것이다.
　해설　② be going to의 의문문은 「Be동사+주어+going to+동사원형 ~?」으로 쓰므로 Is Tom going to join이 되어야 한다.

9 해설　과거를 나타내는 yesterday가 있으므로 각각 과거형으로 쓴다.

10 해설　will을 사용하여 미래를 나타낼 때는 「will+동사원형」으로 쓴다.

11 해설　be going to의 의문문은 「Be동사+주어+going to+동사원형 ~?」으로 쓰고, 부정의 대답은 「No, 주어+be동사 not.」이다.

12 Andy는 새 셔츠를 샀다.
　해설　일반동사 과거형의 부정문은 「did not+동사원형」으로 쓰고, did not은 didn't로 줄여 쓸 수 있다.

UNIT 06 조동사 can

Point 1 can과 be able to

Check Up 1
p.66

1 swim
2 can
3 eat
4 is
5 to help

Check Up 2
p.67

1 ～할 수 있다 (능력)
2 ～할 수 있다 (능력)
3 ～해도 된다 (허가)
4 ～할 수 있다 (능력)
5 ～해도 된다 (허가)

Check Up 3
p.67

1 is able to
2 are able to
3 is able to
4 are able to
5 am able to

Point 2 can의 부정문과 의문문

Check Up 1
p.68

1 cannot
2 cannot
3 ride
4 Can I
5 Can you

Check Up 2
p.69

1 ～할 수 없다 (능력)
2 ～하면 안 된다 (허가)
3 ～해도 될까? (허가)
4 ～해 주겠니? (요청)
5 ～해도 될까? (허가)
6 ～해 주겠니? (요청)
7 ～할 수 없다 (능력)
8 ～하면 안 된다 (허가)

TRAINING 1 문장 비교하기
p.70

1 can sing
2 can use
3 can speak, able to speak
4 can do, able to do
5 can swim, cannot[can't] swim
6 can take, cannot[can't] take
7 can watch, cannot[can't] watch

TRAINING 2 사진 보고 문장 완성하기
p.71

1 Can, skate
2 Can, eat
3 Can, open
4 Can, play
5 Can, make
6 Can, go

TRAINING 3 틀린 문장 고쳐 쓰기
p.72

1 X, can't
2 X, is
3 X, can
4 X, come
5 X, speak
6 X, to finish
7 X, use
8 O

TRAINING 4 통문장 쓰기
p.73

1 I / can speak / English / well.
2 Can / you / come / to the party?
3 She / is able to help / us.
4 They / are able to finish / this.
5 Can / I / borrow / your pencil?
6 They / can go home / early.
7 You / can't take / pictures / here.

서술형 WRITING
p.74

A 1 can make
   2 cannot[can't] enter
   3 Can, play

B 1 can ride
   2 can speak
   3 cannot[can't] make
   4 cannot[can't] drive

해석

A 1 A 너의 여동생은 요리사니?
     B 응. 그녀는 맛있는 파스타를 만들 수 있어.
   2 A 콘서트가 시작되었나요?
     B 네. 지금은 들어가실 수 없어요.
   3 A 우리를 위해 기타를 쳐 주겠니?
     B 미안하지만 안 돼. 나는 기타를 잘 못 쳐.

B 1 Henry는 자전거를 탈 수 있다.
   2 그는 중국어를 말할 수 있다.
   3 그는 케이크를 만들 수 없다.
   4 그는 자동차를 운전할 수 없다.

UNIT 07 조동사 must, have to

Point 1 must와 have to

Check Up 1   p. 76

1 study   2 must
3 work   4 have
5 be

Check Up 2   p. 77

1 ~해야 한다 (의무)   2 ~해야 한다 (의무)
3 ~임에 틀림없다 (추측)   4 ~해야 한다 (의무)
5 ~임에 틀림없다 (추측)

Check Up 3   p. 77

1 have to go   2 have to wait
3 has to call   4 has to wear
5 have to listen

Point 2 must와 have to의 부정문

Check Up 1   p. 78

1 doesn't   2 must not
3 to buy   4 not talk
5 must not

Check Up 2   p. 79

1 ~하면 안 된다 (금지)   2 ~할 필요가 없다 (불필요)
3 ~하면 안 된다 (금지)   4 ~할 필요가 없다 (불필요)
5 ~하면 안 된다 (금지)

Check Up 3   p. 79

1 must not stay   2 don't have to watch
3 must not read   4 doesn't have to leave
5 must not go

TRAINING 1 문장 비교하기   p. 80

1 must, must not
2 has to, doesn't have
3 must not, don't have to
4 must, must not
5 must, doesn't have
6 must not, don't have to
7 must, must not

TRAINING 2 사진 보고 문장 완성하기   p. 81

1 must wear   2 must not swim
3 must wash   4 must not talk
5 must finish   6 must not use

TRAINING 3 문장 바꿔 쓰기   p. 82

1 You must not leave now.
2 He must not buy them.
3 You must not sleep now.
4 You must not close the door.
5 We don't have to take a taxi.
6 She doesn't have to wear glasses.
7 He doesn't have to know the truth.

TRAINING 4 통문장 쓰기   p. 83

1 You / must not use / your phone / here.
2 We / must do / the work / now.
3 You / don't have to know / the truth.
4 He / has to take / the bus.
5 They / must not swim / in this river.
6 I / don't have to go / to school / today.
7 She / doesn't have to finish / her homework.

서술형 WRITING   p. 84

A 1 don't have to   2 must
   3 must not

B 1 must not dive   2 must wear
   3 must not run   4 must not eat

해석

A 1 일요일이다. 우리는 오늘 학교에 가야 한다.
     ➡ 일요일이다. 우리는 오늘 학교에 갈 필요가 없다.
   2 그 소녀가 울고 있다. 그녀는 슬퍼야 한다.
     ➡ 그 소녀가 울고 있다. 그녀는 슬픈 것임에 틀림없다.
   3 너는 수업 중에 전화기를 사용할 필요가 없다.
     ➡ 너는 수업 중에 전화기를 사용하면 안 된다.

B 〈수영장 규칙〉
   1 너는 수영장으로 뛰어들면 안 된다.
   2 너는 수영모를 써야 한다.
   3 너는 수영장 주변에서 뛰면 안 된다.
   4 너는 수영장에서 먹으면 안 된다.

Point 1 의문사의 종류와 의미

Check Up 1   p.86

| 1 ⓓ who | 2 ⓔ when | 3 ⓑ where |
| 4 ⓕ what | 5 ⓒ why | 6 ⓐ how |

Check Up 2   p.87

| 1 What | 2 How | 3 When |
| 4 Where | 5 Why | 6 Who |

Check Up 3   p.87

| 1 Who | 2 What | 3 When |
| 4 How | 5 Why | 6 Where |

Point 2 의문사가 있는 의문문 만들기

Check Up 1   p.88

| 1 is | 2 does | 3 are |
| 4 does | 5 is | 6 do |

Check Up 2   p.89

1 Is, What is	2 Is, Who is
3 Are, What are	4 Are, Where are
5 Does, Why does	6 Do, When do

Point 3 의문사 who, what

Check Up 1   p.90

| 1 Who | 2 What |
| 3 Who | 4 What |

Check Up 2   p.91

| 1 is, are | 2 is, are | 3 is, are |
| 4 do, does | 5 do, does | 6 do, does |

Check Up 3   p.91

| 1 Who | 2 What | 3 Who |
| 4 What | 5 Who | 6 What |

TRAINING 1   문장 확장하기   p.92

1 What do, like	2 Who is
3 What do, eat	4 Who are
5 What is	6 Who do, help
7 What is	

TRAINING 2   사진 보고 문장 완성하기   p.93

1 Who is	2 What does, need
3 What is	4 Who do, visit
5 What does, listen	6 What do, want

TRAINING 3   틀린 문장 고쳐 쓰기   p.94

1 X, are	2 X, do	3 X, What
4 X, does	5 X, Who	6 O
7 X, What	8 X, does	

TRAINING 4   통문장 쓰기   p.95

1 What / do / you / want / for a drink?
2 What / is / your hobby?
3 What / does / he / study / every day?
4 Who / does / Mr. White / teach?
5 Who / is / your English teacher?
6 Who / do / you / meet / every weekend?
7 What / is / your favorite animal?

서술형 **WRITING**   p.96

A 1 Who is   2 What is
   3 Who are
B ① Who is the tall man in the picture?
   ② What is his job?

해석

A 1 A 그분은 누구시니?
      B 그분은 우리 아빠이셔. 그분은 의사이셔.
   2 A 이것은 무엇이니?
      B 이것은 우리 선생님을 위한 선물이야.
   3 A 그들은 누구니?
      B 그들은 새 학생들이야. 그들은 캐나다에서 왔어.
   4 A 그것들은 무엇이니?
      B 그것들은 과학 책들이야. 그것들은 내 숙제를 위한 거야.
B A 사진 속 키가 큰 남자는 누구니?
   B 그분은 우리 삼촌이야.
   A 그의 직업은 무엇이니?
   B 그분은 요리사이셔.

Point 1 의문사 when, where

Check Up 1   p. 98

1 Where	2 When
3 When	4 Where
5 When	

Check Up 2   p. 99

1 When	2 Where
3 When	4 Where
5 When	6 When

Check Up 3   p. 99

1 is, does	2 is, are
3 is, are	4 does, do
5 do, does	

Point 2 의문사 why, how

Check Up 1   p. 100

1 How	2 Why
3 How	4 Why
5 How	

Check Up 2   p. 101

1 How	2 How
3 Why	4 Why
5 How	6 Why

Check Up 3   p. 101

1 is, are	2 do, does
3 are, are	4 does, do
5 do, does	

Point 3 how+형용사/부사

Check Up 1   p. 102

1 tall	2 far
3 much	4 often

Check Up 2   p. 103

1 How old	2 How tall
3 How much	4 How far
5 How much	6 How long
7 How many	8 How often

TRAINING 1   문장 확장하기   p. 104

1 When do	2 How does
3 Why is	4 Where did
5 How old, How tall	
6 How many, How much	
7 How often, How long	

TRAINING 2   사진 보고 문장 완성하기   p. 105

1 Where	2 How much
3 Why	4 How
5 When	6 How often

TRAINING 3   틀린 문장 고쳐 쓰기   p. 106

1 X, Where	2 X, When
3 X, How	4 X, Why
5 X, is	6 X, often
7 X, much	8 O

TRAINING 4   통문장 쓰기   p. 107

1 When / does / the concert / begin?
2 Why / do / you / like / soccer?
3 Where / is / the bus stop?
4 How / was / the math test?
5 How often / does / she / have / tennis lessons?
6 How old / is / your sister?
7 How far / is / the post office?

서술형 **WRITING**   p. 108

A 1 How many   2 How much
   3 How tall
B 1 How old   2 When
   3 Where

해석

A 1 A 교실에 의자가 몇 개 있니?
      B 의자가 8개 있어.

2 A 그 셔츠는 얼마예요?

   B 그것은 50달러입니다.

3 A 네 남동생은 키가 몇이니?

   B 그는 135센티미터야.

B 우리 할머니는 80세이시다. 그녀는 6시에 일어나신다. 그녀는 매일 아침 공원에 가신다. 그녀는 건강하시다.

1 Q Andy의 할머니는 몇 세이시니?

   A 그분은 80세이셔.

2 Q 그분은 언제 일어나시니?

   A 그분은 6시에 일어나셔.

3 Q 그분은 매일 아침 어디에 가시니?

   A 그분은 공원에 가셔.

REVIEW TEST 2 (Units 6 - 9)

1 ④   **2** ①   **3** ⑤   **4** ②   **5** ②   **6** ⑤   **7** ②
8 ③   **9** is able to play   **10** has to finish
11 What do you do after school?
12 How tall

1 Lisa는 피아노를 매우 잘 칠 수 있다.

  해설 조동사는 주어의 인칭과 수에 상관없이 항상 같은 형태로 쓰고 뒤에는 동사원형이 온다.

2 A 이 사진 속 귀여운 소년은 누구니?
  B 그는 내 친구 John이야.

  해설 B가 사진 속 소년이 누구인지 말하고 있으므로 빈칸에는 '누구'를 의미하는 의문사 Who가 알맞다.

3 **해설** 주어가 3인칭 단수일 때 '~할 필요가 없다'는 「doesn't have to+동사원형」의 형태로 쓴다.

4 **해설** 주어진 문장에서 can은 '~해도 된다'라는 의미의 허가를 나타낸다.

5 • 너의 전화번호는 무엇이니?
   • 너는 저녁 식사로 무엇을 원하니?

  해설 전화번호가 '무엇'인지 묻는 말과 저녁 식사로 '무엇을' 원하는지 묻는 말에 공통으로 알맞은 것은 의문사 What이다.

6 ① 나는 공부를 열심히 해야 한다.
   ② 너는 지금 떠날 필요가 없다.
   ③ 우리는 선생님 말씀을 들어야 한다.
   ④ 그 새 학생은 남자아이임에 틀림없다.
   ⑤ 그는 오늘 그의 방을 청소해야 한다.

  해설 ⑤ has to 뒤에 동사원형이 와야 한다. cleans → clean

7 너는 어디에 사니?

① 나는 10살이야.
② 나는 서울에 살아.
③ 나는 7시 30분에 일어나.
④ 내가 아프기 때문이야.
⑤ 나는 버스를 타고 학교에 가.

  해설 어디에 사는지 묻는 말이므로 살고 있는 곳을 답해야 한다.

8 ① 네 남동생은 몇 살이니?
   ② 이 케이크는 얼마니?
   ③ 너는 무슨 색을 좋아하니?
   ④ 네 학교는 얼마나 머니?
   ⑤ 너는 얼마나 자주 테니스를 치니?

  해설 ③ 뒤에 오는 명사와 함께 쓰여 '무슨'의 의미를 나타내는 의문사 What이 알맞다. 나머지는 형용사나 부사와 함께 쓰여 나이, 가격, 거리 등을 물을 때 쓰이는 의문사 How가 알맞다.

9 Emily는 바이올린을 켤 수 있다.

  해설 '~할 수 있다'라는 의미의 can은 「be able to+동사원형」으로 바꿔 쓸 수 있다. 주어가 3인칭 단수이므로 be동사는 is를 쓴다.

10 Paul은 오늘 숙제를 끝내야 한다.

  해설 '~해야 한다'라는 의미의 「must+동사원형」은 「have to+동사원형」으로 바꿔 쓸 수 있다. 주어가 3인칭 단수이므로 has to로 쓴다.

11 **해설** 의문사가 있는 의문문은 「의문사+do/does+주어+동사원형 ~?」의 형태로 쓴다.

12 A 너는 키가 몇이니?
  B 나는 150센티미터야.

  해설 B가 자신의 키를 답했으므로 빈칸에는 키가 몇인지 묻는 표현인 How tall이 알맞다.

Point **1** 비교급 만들기 (1)

Check Up 1   p. 112

younger, bigger, easier, longer, heavier, shorter, hotter, nicer

Check Up 2   p. 113

1 longer	2 smaller	3 older
4 younger	5 faster	6 stronger
7 safer	8 larger	9 wiser
10 nicer	11 happier	12 easier
13 busier	14 lazier	15 heavier
16 prettier	17 bigger	18 fatter
19 thinner	20 hotter	

Point **2** 비교급 만들기 (2)

Check Up 1   p. 114

difficult, expensive, famous, interesting, popular, beautiful

Check Up 2   p. 115

1 more difficult	2 more useful
3 more important	4 more exciting
5 more famous	6 more beautiful
7 more handsome	8 more slowly
9 more dangerous	10 more popular
11 more interesting	12 more expensive
13 more easily	14 more careful
15 more delicious	16 more comfortable
17 better	18 worse
19 better	20 more

Point **3** 비교급의 쓰임

Check Up 1   p. 116

1 ⓐ   2 ⓑ   3 ⓐ

Check Up 2   p. 117

1 bigger than	2 heavier than
3 more interesting	4 faster than
5 colder than	6 slowly than
7 better than	

TRAINING 1   문장 확장하기   p. 118

1 strong, stronger than
2 busy, busier than
3 thin, thinner than
4 popular, more popular than
5 fast, faster than
6 well, better than
7 many, more, than

TRAINING 2   그림 보고 문장 완성하기   p. 119

1 older than	2 hotter than
3 longer than	4 larger than
5 better than	6 more expensive than

TRAINING 3   틀린 문장 고쳐 쓰기   p. 120

1 X, taller	2 X, cheaper than
3 X, shorter	4 X, than
5 O	6 X, worse
7 X, warmer	8 X, more expensive

TRAINING 4   통문장 쓰기   p. 121

1 My bag / is / bigger than / your bag.
2 This song / is / more famous than / that song.
3 Math / is / more interesting than / science.
4 Asia / is / larger than / Africa.
5 Her plan / is / better than / his.
6 The subway / runs / more slowly than / the train.
7 Mom / speaks / English / better than / Dad.

서술형 **WRITING**   p. 122

A 1 faster   2 heavier
   3 more expensive
B 1 bigger than   2 older than
   3 more, than

> 해석

A 1 새 차가 낡은 차보다 더 빠르다.
   2 코끼리가 원숭이보다 더 무겁다.
   3 빨간 탁자가 파란 탁자보다 더 비싸다.
B 이것들은 내 애완견 Coco와 Max이다.
   1 Max는 Coco보다 더 크다.
   2 Max는 Coco보다 더 나이 들었다.
   3 Max는 Coco보다 더 많은 음식을 먹는다.

UNIT **11** 최상급

Point **1** 최상급 만들기 (1)

Check Up 1   p.124

1 가장 긴, 최상급   2 가장 쉬운, 최상급
3 더 큰, 비교급   4 가장 빨리, 최상급

Check Up 2   p.125

1 highest   2 smallest   3 youngest
4 longest   5 fastest   6 oldest
7 largest   8 safest   9 nicest
10 wisest   11 easiest   12 heaviest
13 laziest   14 busiest   15 funniest
16 happiest   17 biggest   18 saddest
19 thinnest   20 hottest

Point **2** 최상급 만들기 (2)

Check Up 1   p.126

1 most beautiful   2 more slowly
3 best   4 most difficult
5 most   6 better

Check Up 2   p.127

1 most famous   2 most easily
3 most important   4 most interesting
5 most useful   6 most dangerous
7 most exciting   8 most slowly
9 most popular   10 most careful
11 most delicious   12 most comfortable
13 most difficult   14 most expensive
15 most famous   16 most beautiful
17 best   18 worst
19 best   20 most

Point **3** 최상급의 쓰임

Check Up 1   p.128

1 ⓐ   2 ⓑ   3 ⓐ

Check Up 2   p.129

1 the heaviest   2 most   3 best
4 the most   5 best   6 shortest month
7 fastest

TRAINING 1   문장 비교하기   p.130

1 bigger, the biggest
2 younger, the youngest
3 easier, the easiest
4 better, the best
5 more popular, the most popular
6 more difficult, the most difficult

TRAINING 2   그림 보고 문장 완성하기   p.131

1 the tallest   2 the coldest
3 the most expensive   4 the fastest
5 the best   6 the most popular

TRAINING 3   배열하여 문장 완성하기   p.132

1 the richest man in the village
2 the biggest ocean in the world
3 the best in my class
4 the cheapest food in the restaurant
5 the easiest subject for me
6 the hottest day of the year
7 the best player of the three

TRAINING 4   통문장 쓰기   p.133

1 Tom / is / the fastest runner / on his team.
2 He / is / the tallest man / in the village.
3 Today / is / the best day / of my life.
4 This / is / the oldest book / in this library.
5 Lisa / sings / the best / in my school.
6 Emily / is / the most popular girl / in my class.
7 Sam / eats / the most slowly / of the three.

서술형 WRITING   p.134

A 1 the most expensive, the cheapest
    2 the fastest, the most slowly
B 1 the largest country in the world
    2 the longest river in Africa
    3 the biggest island in Korea

해석

A 1 그 가게에서 스마트폰이 가장 비싸다.
      그 가게에서 손목시계가 가장 싸다.
   2 셋 중에서 치타가 가장 빨리 달린다.
      셋 중에서 코끼리가 가장 천천히 달린다.

UNIT 12 전치사

Point 1 위치/장소를 나타내는 전치사

Check Up 1 p. 136

1 under the box   2 in the box
3 in front of the box

Check Up 2 p. 137

1 under   2 in
3 on   4 next to
5 in front of   6 on
7 in   8 next to
9 behind

Point 2 시간을 나타내는 전치사

Check Up 1 p. 138

1 at   2 in
3 on   4 in
5 at   6 on

Check Up 2 p. 139

1 at, at   2 on, on
3 in, in   4 in, in
5 on, on   6 in, in
7 at, at   8 in, in
9 at, at   10 on, on

TRAINING 1 문장 비교하기 p. 140

1 at, in   2 in, on
3 in, on   4 on, next to
5 in front of, behind   6 in, on

TRAINING 2 그림 보고 문장 완성하기 p. 141

1 at 10 o'clock   2 on April 5
3 next to the bank   4 under the desk
5 in the winter
6 in front of the students

TRAINING 3 틀린 문장 고쳐 쓰기 p. 142

1 X, at night   2 X, in summer
3 X, at 7 a.m.   4 X, under the tree
5 O   6 X, in front of the park
7 X, in   8 X, behind

TRAINING 4 통문장 쓰기 p. 143

1 My mom / is / in the kitchen.
2 They / play / soccer / in the afternoon.
3 A clock / is / on the wall.
4 There is / a sock / under the bed.
5 We / have / a party / on Christmas Eve.
6 We / met / in front of the gate.
7 The students / have / lunch / at noon.

서술형 WRITING p. 144

A 1 in front of   2 in
   3 behind   4 on
B ① on   ② in
   ③ at   ④ in

해석

A 1 집 앞에 상자들이 있다.
   2 상자 안에 고양이가 있다.
   3 상자 뒤에 전등이 있다.
   4 책들 위에 축구공이 있다.

B Jina의 생일 파티는 5월 1일이다. 파티는 오후에 있다. 그것은 오후 2시에 시작한다. 파티는 거실에서 한다.

1 ③　2 ④　3 ④　4 ②　5 ⑤　6 ③　7 ②
8 ①　9 under　10 in front of　11 better
than　12 (1) the coldest (2) the hottest

1 해설 ③ 「단모음＋단자음」으로 끝나는 단어는 마지막 자음을 추가하고 -er을 붙인다. thin → thinner

2 해설 '가장 저렴한'은 최상급 표현이므로 「the＋최상급(＋명사)」로 나타낸다. cheap의 최상급은 cheapest이며, -est와 most는 함께 쓰지 않는다.

3 해설 두 대상을 비교하는 문장이므로 「비교급＋than」으로 나타낸다. big의 비교급은 bigger이며, -er과 more는 함께 쓰지 않는다.

4 해설 빈칸 뒤에 than이 있으므로 비교급이 와야 한다.
② youngest는 young의 최상급이며, 앞에 the와 함께 쓰인다.

5 ① Jina는 Sam보다 키가 작다.
② Sam은 Kevin보다 키가 크다.
③ Kevin은 Amy보다 키가 작다.
④ Sam은 가장 키가 크다.
⑤ Amy는 가장 키가 작다.
해설 ⑤ 키가 가장 작은 사람은 Kevin이다.

6 ① John은 우리 팀에서 가장 잘하는 선수이다.
② Lisa는 우리 반에서 가장 빠른 주자이다.
③ 오늘은 내 인생에서 가장 행복한 날이다.
④ 이것은 우리나라에서 가장 높은 산이다.
⑤ 그녀는 세계에서 가장 유명한 가수이다.
해설 ③ happy의 최상급은 happiest이다. the most happy → the happiest

7 ① 오후 8시에 만나자.
② 우리는 3월에 너를 방문할 것이다.
③ 그들은 2018년에 중국에 갔다.
④ 그는 오후에 축구를 한다.
⑤ 우리는 크리스마스에 파티를 할 것이다.
해설 ② 월 앞에는 전치사 in을 쓴다. on → in

8 • 나는 내 생일에 케이크를 먹었다.
• 벽에 큰 시계가 있다.
해설 특정한 날을 나타낼 때와 표면 위를 나타낼 때 전치사 on을 쓴다.

9 의자 아래에 축구공이 있다.
해설 '아래'를 의미하는 전치사는 under이다.

10 해설 '~ 앞에'를 의미하는 전치사는 in front of이다.

11 해설 두 사람을 비교하는 문장이므로 「비교급＋than」을 쓴다. well의 비교급은 better이다.

12 (1) 셋 중 1월이 가장 춥다.
(2) 셋 중 7월이 가장 덥다.
해설 셋 이상을 비교해서 그 중 하나가 가장 어떠하다고 나타낼 때 「the＋최상급(＋명사)」를 쓴다. (1) cold의 최상급은 coldest이다. (2) hot의 최상급은 hottest이다.

UNIT 13 접속사

Point 1   and, but, or

Check Up 1   p.148
1 and
2 or
3 and
4 but

Check Up 2   p.149
1 and
2 or
3 but
4 and
5 or
6 but
7 and
8 or

Point 2   because, so

Check Up 1   p.150
1 so, ~해서
2 Because, ~ 때문에
3 because, ~ 때문에
4 so, ~해서
5 because, ~ 때문에
6 so, ~해서

Check Up 2   p.151
1 because
2 so
3 because
4 so
5 because
6 so
7 Because
8 so

TRAINING 1   문장 비교하기   p.152
1 and, but
2 and, or
3 and, but
4 because, so
5 and, or
6 and, but
7 so, Because

TRAINING 2   사진 보고 문장 완성하기   p.153
1 so
2 and
3 because
4 because
5 so
6 but

TRAINING 3   틀린 문장 고쳐 쓰기   p.154
1 X, and
2 X, or
3 X, but
4 X, but
5 X, or
6 O
7 O
8 X, so

TRAINING 4   통문장 쓰기   p.155
1 Lisa / likes / math and science.
2 We / will leave / at / two or three.
3 They / are / rich but unhappy.
4 so / I / can help / you.
5 but / I / can't speak / Japanese.
6 because / I / don't know / his phone number.
7 because / he / is / funny.

서술형 WRITING   p.156
A   1 and   2 but
     3 or
B   1 It rained, so we didn't go out.
     2 I missed the bus, so I was late for school.
     3 He was full because he ate a lot of pizza.

해석
A   1 그 공책과 연필은 내 것이다.
     2 화창하지만 춥다.
     3 너는 우산이 필요하니 아니면 우비가 필요하니?
B   1 비가 와서 우리는 밖에 나가지 않았다.
     2 나는 버스를 놓쳐서 학교에 지각했다.
     3 그는 피자를 많이 먹었기 때문에 배가 불렀다.

Point **1** 명령문

Check Up 1   p. 158

1 Do   2 Be
3 Don't make   4 Don't be

Check Up 2   p. 159

1 Wash   2 Don't drink
3 Don't be   4 Go
5 Be   6 Don't eat
7 Be   8 Don't open

Point **2** 제안문

Check Up 1   p. 160

1 Let's   2 Let's
3 Let's not   4 Let's
5 Let's not

Check Up 2   p. 161

1 Let's help   2 Let's not meet
3 Let's play   4 Let's not talk
5 Let's sit   6 Let's go
7 Let's finish   8 Let's invite

TRAINING 1   문장 비교하기   p. 162

1 Open, Don't open
2 Be, Don't be
3 stand, don't stand
4 Drink, Don't drink
5 Take, Don't take
6 Let's ride, Let's not ride
7 Let's speak, Let's not speak
8 Let's eat, Let's not eat

TRAINING 2   사진 보고 문장 완성하기   p. 163

1 Let's not sit   2 Don't be
3 Go   4 Let's have
5 Don't swim   6 be

TRAINING 3   문장 바꿔 쓰기   p. 164

1 Don't close the door now.
2 Don't move this chair.
3 Let's not cross the street here.
4 Don't wait for me.
5 Let's go hiking tomorrow.
6 Use this computer.
7 Let's invite many people.

TRAINING 4   통문장 쓰기   p. 165

1 Let's be quiet / in the library.
2 Clean / your room / right now.
3 Let's go swimming / tomorrow.
4 Let's not listen to / loud music.
5 Don't run / in the classroom.
6 Be nice / to your friends.
7 Let's eat / pizza / for lunch.

서술형 **WRITING**   p. 166

A 1 Stop here.   2 Don't run.
   3 Be quiet.

B ① Let's go   ② Let's meet
   ③ Let's take   ④ Let's walk
   ⑤ Don't be late

해석

A 1 여기서 멈춰라.
   2 뛰지 마라.
   3 조용히 해라.

UNIT **15** 감탄문

Point **1**　What 감탄문

Check Up 1　　　　　　　　　　　　　p.168
1 ⓑ　　　　　　　　　2 ⓐ
3 ⓑ

Check Up 2　　　　　　　　　　　　　p.169
1 What a thick book
2 What a nice idea
3 What an interesting movie
4 What a pretty bag
5 What a strong boy
6 What a clean room
7 What a deep lake
8 What an old car

Point **2**　How 감탄문

Check Up 1　　　　　　　　　　　　　p.170
1 How　　　　　　　2 What
3 What　　　　　　　4 How
5 How

Check Up 2　　　　　　　　　　　　　p.171
1 How expensive　　　2 How high
3 How slowly　　　　4 How kind
5 How pretty　　　　6 How wonderful
7 How fast　　　　　8 How exciting

TRAINING 1　문장 비교하기　　　　　p.172
1 What, How　　　　2 What, How
3 How, What　　　　4 What, How
5 How, What　　　　6 How, What
7 What, How

TRAINING 2　사진 보고 문장 완성하기　p.173
1 How sweet　　　　2 What, strong
3 What, clean　　　　4 What, expensive
5 How colorful　　　6 How difficult

TRAINING 3　문장 바꿔 쓰기　　　　　p.174
1 What a long river
2 What an old bike
3 What a comfortable sofa
4 What a kind boy
5 How sad
6 How beautifully
7 How quietly
8 How exciting

TRAINING 4　통문장 쓰기　　　　　　p.175
1 What / a boring movie
2 How / high
3 What / an interesting story
4 How / fast
5 What / a smart student
6 How / sad
7 What / a wonderful idea

서술형 **WRITING**　　　　　　　　　p.176
A 1 How nice
　2 What a wonderful voice
B 1 How famous she is
　2 What a beautiful rose
　3 How cute he is

해석
A 1 이 자동차는 정말 근사하다.
　　→ 이 자동차는 정말 근사하구나!
　2 그는 좋은 목소리를 가지고 있다.
　　→ 그는 정말 좋은 목소리를 가지고 있구나!
B 1 A 모두가 Jones 씨를 알고 있어.
　　B 그녀는 정말 유명하구나!
　2 A 너를 위해 장미를 샀어.
　　B 정말 아름다운 장미구나!
　3 A 봐! 아기가 웃고 있어.
　　B 그는 정말 귀엽구나!

UNIT 16 비인칭 주어 it

Point 1 비인칭 주어 it (1)

Check Up 1 p. 179

1 ⓑ 　　　　　2 ⓑ
3 ⓐ 　　　　　4 ⓑ
5 ⓑ

Check Up 2 p. 179

1 It is 7 o'clock. 　　2 It is Thursday.
3 It is 6 a.m. 　　　　4 It is Saturday.
5 It is October 2.

Point 2 비인칭 주어 it (2)

Check Up 1 p. 180

1 ⓑ 　　　　　2 ⓑ
3 ⓑ 　　　　　4 ⓑ

Check Up 2 p. 181

1 ⓑ 　　　　　2 ⓐ
3 ⓑ 　　　　　4 ⓐ
5 ⓑ 　　　　　6 ⓐ
7 ⓐ

TRAINING 1　문장 비교하기 p. 182

1 It is, It is
2 summer, winter
3 June, May
4 It, It
5 Sunday, Monday
6 hot, rainy, cloudy, windy
7 It is, It is

TRAINING 2　사진 보고 문장 완성하기 p. 183

1 It, windy 　　　　2 April 1
3 9 o'clock 　　　　4 It
5 it, Tuesday 　　　6 it, summer

TRAINING 3　문장 해석하기 p. 184

1 12월 7일이다. 　　2 토요일이다.
3 따뜻하다 　　　　4 아빠의 생신이다
5 오전 11시이다 　　6 환하다[밝다]
7 무슨 요일이니 　　8 며칠이니

TRAINING 4　통문장 쓰기 p. 185

1 It / is / 3 o'clock / now.
2 It / is / Wednesday / tomorrow.
3 What day / is / it / today?
4 It / is / bright and warm / outside.
5 It / is / 10 meters / from here.
6 It is May / and / it is spring.
7 It / is / September 9 / today.

서술형 WRITING p. 186

A 1 It is[It's] Friday.
　 2 It is[It's] 8 o'clock.
　 3 It is[It's] dark outside.
B 1 It is[It's] summer.
　 2 It is[It's] July 15
　 3 It is[It's] rainy
　 4 It is[It's] Tuesday

해석

A 1 A 오늘은 무슨 요일이니?
　　 B 금요일이야.
　 2 A 지금 몇 시니?
　　 B 8시야.
　 3 A 벌써 오후 9시야.
　　 B 응. 바깥이 어두워.
B 1 무슨 계절인가요?
　　 → 여름입니다.
　 2 오늘은 며칠인가요?
　　 → 오늘은 7월 15일입니다.
　 3 오늘 날씨는 어떤가요?
　　 → 비가 옵니다.
　 4 내일은 무슨 요일인가요?
　　 → 화요일입니다.

1 ① 2 ③ 3 ⑤ 4 ① 5 ④ 6 ⑤ 7 ②
8 ② 9 because 10 Don't eat
11 What an interesting movie 12 it, It

1 [해설] '그리고'라는 의미의 접속사 and가 적절하다.

2 · 나는 운동을 좋아하지만 Jina는 운동을 좋아하지 않는다.
· 나는 어젯밤에 잠을 잘 못 자서 매우 졸리다.
[해설] ⓐ 반대되는 내용을 연결하므로 but이 알맞다. ⓑ 어젯밤에 잠을 잘 못 잔 결과를 나타내므로 so가 알맞다.

3 [해설] be동사의 부정 명령문은 「Don't be ~.」의 형태로 쓴다.

4 A 오늘 축구하자.
B 그래. 하자.
[해설] B의 응답으로 보아 '~하자'라는 의미의 제안문이 자연스럽다. 제안문은 「Let's + 동사원형 ~.」의 형태로 쓴다.

5 ① 그녀는 정말 아름답구나!
② 그 치타는 정말 빨리 달리는구나!
③ 그것은 정말 두꺼운 책이구나!
④ 그는 정말 똑똑한 학생이구나!
⑤ 그것은 정말 높은 건물이구나!
[해설] ④ 밑줄 친 부분 뒤에 「a + 형용사 + 명사」가 있으므로 How가 아니라 What을 써야 한다.

6 그것은 비싼 자전거이다.
[해설] 감탄문은 「What + a / an + 형용사 + 명사 (+ 주어 + 동사)!」 또는 「How + 형용사 (+ 주어 + 동사)!」의 형태이므로 올바른 어순으로 쓴 것은 ④와 ⑤이다. expensive의 첫소리는 모음이므로 부정관사 an을 쓴 ⑤가 정답이다.

7 A 오늘 날씨가 어떠니?
B 바람이 불어.
[해설] 날씨를 나타내므로 비인칭 주어 It이 알맞다.

8 ① 지금은 7시다.
② 그것은 매우 오래된 자동차이다.
③ 이 방 안은 어둡다.
④ 내일은 6월 10일이다.
⑤ 여기서 3킬로미터이다.
[해설] ②는 '그것'이라는 의미로 쓰인 지시대명사이고, 나머지는 각각 ① 시각, ③ 명암, ④ 날짜, ⑤ 거리를 나타내는 비인칭 주어이다.

9 · Tom은 물을 많이 마셨다.
· 그는 매우 목이 말랐다.
→ Tom은 매우 목이 말랐기 때문에 물을 많이 마셨다.
[해설] 매우 목이 말랐기 때문에 물을 많이 마셨다는 의미가 되어야 하므로 이유를 나타내는 접속사 because가 알맞다.

10 박물관에서 먹지 마라.
[해설] 음식을 먹지 말라는 의미의 금지 표지판이므로 부정 명령문 「Don't + 동사원형 ~.」으로 나타낼 수 있다.

11 그것은 재미있는 영화이다.
→ 그것은 정말 재미있는 영화구나!
[해설] a 또는 an을 포함해야 하므로 What 감탄문을 써야 한다. What 감탄문은 「What + a / an + 형용사 + 명사 (+ 주어 + 동사)!」의 어순으로 쓰며, interesting의 첫소리가 모음이므로 부정관사는 an을 써야 한다.

12 A 오늘은 무슨 요일이니?
B 화요일이야.
[해설] 요일을 나타내는 비인칭 주어 it / It이 알맞다.

WORKBOOK ANSWERS

UNIT 01 be동사 과거형

pp. 2~3

Point Review
- was, were
- was not[wasn't], were not[weren't]

A
1 was	2 was
3 was	4 was
5 were	6 were
7 were	8 were

B
1 was	2 were
3 was	4 wasn't
5 weren't	6 Was

C
1 was	2 were
3 was	4 wasn't[was not]
5 weren't[were not]	6 Were
7 Were	8 Was

D
1 The soup wasn't
2 I wasn't
3 They weren't
4 We weren't
5 Was her hair
6 Were you
7 Was the computer
8 Were your friends

UNIT 02 일반동사 과거형 1

pp. 4~5

Point Review
- (e)d

A
1 wanted	2 played
3 watched	4 liked
5 planned	6 cried
7 came	8 knew
9 had	10 stopped
11 read	12 sang
13 saw	14 ran

B
1 lived	2 bought
3 studied	4 rode
5 taught	6 played
7 built	

C
1 made	2 read
3 cut	4 slept
5 stopped	6 washed
7 met	

D
1 ate	2 went
3 drank	4 jogged
5 sent	6 drew
7 wrote	8 cleaned

UNIT 03 일반동사 과거형 2

pp. 6~7

Point Review
- did, not
- Did

A
1 arrive	2 didn't
3 take	4 didn't
5 Did	6 play
7 wait	

B
1 didn't wear	2 didn't go
3 didn't wash	4 Did, rain
5 Did, call	6 Did, buy
7 Did, work	

C
1 didn't	2 didn't
3 didn't	4 live
5 Did	6 Did
7 did	8 didn't

D
1 They didn't make	2 I didn't meet
3 He didn't build	4 Emily didn't clean
5 Did he run	6 Did they see
7 Did Lisa open	8 Did you sleep

UNIT 04 미래를 나타내는 will

Point Review
- will
- will, not
- Will

A 1 will　　　　　　2 cook
　　3 go　　　　　　　4 won't
　　5 change　　　　　6 arrive
　　7 Will

B 1 will learn　　　　2 will wear
　　3 will wash　　　　4 will visit
　　5 will invite　　　　6 will make
　　7 will call

C 1 help　　　　　　2 go
　　3 will　　　　　　4 clean
　　5 be　　　　　　　6 will not[won't]
　　7 wash

D 1 She won't work
　　2 I won't be
　　3 My uncle won't leave
　　4 Will they meet
　　5 Will they stay
　　6 Will he play

UNIT 05 미래를 나타내는 be going to

Point Review
- be going to

A 1 make　　　　　　2 am
　　3 is　　　　　　　4 isn't
　　5 aren't　　　　　6 Are
　　7 Is

B 1 are going to be
　　2 is going to work
　　3 is going to ride
　　4 are going to help
　　5 is going to play
　　6 are going to buy

　　7 are going to have

C 1 am　　　　　　　2 to come
　　3 are　　　　　　　4 are
　　5 isn't[is not]　　　6 Is

D 1 are not going to call
　　2 is not[isn't] going to study
　　3 is going to see
　　4 Are, going to visit
　　5 Are, going to get up
　　6 Is, going to leave

UNIT 06 조동사 can

Point Review
- can
- able

A 1 ①　　　　　　　2 ②
　　3 ①　　　　　　　4 ②
　　5 ①　　　　　　　6 ①
　　7 ②

B 1 is　　　　　　　2 can
　　3 read　　　　　　4 ride
　　5 cannot　　　　　6 can't
　　7 open

C 1 can　　　　　　　2 use
　　3 jump　　　　　　4 to speak
　　5 cannot[can't]　　6 be
　　7 make　　　　　　8 borrow

D 1 They can't help
　　2 Lisa can't play
　　3 I can't answer
　　4 You can't wear
　　5 Can she play
　　6 Can Ted dance
　　7 Can he ride
　　8 Can you open

UNIT 07 조동사 must, have to

pp. 14~15

Point Review
- must
- have, to

A 1 ②　　2 ①
3 ②　　4 ①
5 ②　　6 ①
7 ②

B 1 have　　2 has
3 to do　　4 be
5 must　　6 drink
7 don't

C 1 be　　2 help
3 finish　　4 work
5 must　　6 has to
7 doesn't

D 1 We must stay
2 You must not eat
3 We have to be
4 You don't have to clean
5 She doesn't have to buy

UNIT 08 의문사 1

pp. 16~17

Point Review
- 의문사
- who, what

A 1 What　　2 Who
3 Who　　4 Who
5 What　　6 What

B 1 are　　2 is
3 is　　4 does
5 do　　6 What
7 What　　8 What

C 1 Who are　　2 What is
3 Who are　　4 Who is
5 What do　　6 Who do

7 What does　　8 What does

D 1 Who is your best friend?
2 What do they need?
3 What color do you like?
4 Who does Tom meet?
5 What is your favorite movie?

UNIT 09 의문사 2

pp. 18~19

Point Review
- when, where, why, how
- how

A 1 When　　2 How
3 How　　4 Where
5 Where　　6 Why

B 1 Where　　2 When
3 Where　　4 Why
5 How　　6 Why

C 1 How often　　2 How far
3 How old　　4 How much
5 How many　　6 How tall
7 How long

D 1 Why is the actor
2 Where did you buy
3 When does the game
4 How did you make
5 How many eggs does

UNIT 10 비교급

pp. 20~21

Point Review
- than
- -er, more

A
1	stronger	2	nicer
3	lazier	4	hotter
5	worse	6	more slowly
7	more beautiful	8	younger
9	wider	10	prettier
11	better	12	more
13	more dangerous	14	more delicious

B
1	faster	2	more popular
3	sweeter	4	longer
5	colder than	6	bigger
7	more interesting		

C
1	better than	2	smaller than
3	thinner than	4	more carefully than
5	more famous than	6	prettier than
7	more difficult than	8	more, than

D
1 older than
2 shorter than
3 hotter than
4 worse than
5 more expensive than

UNIT 11 최상급

pp. 22~23

Point Review
- -est, most

A
1	longest	2	safest
3	strongest	4	laziest
5	most famous	6	most
7	most useful	8	youngest
9	widest	10	best
11	happiest	12	worst
13	most easily	14	most difficult

B
1	the tallest	2	busiest
3	most	4	oldest
5	slowest	6	fastest
7	most popular		

C
1	the fastest	2	the saddest
3	the tallest	4	the easiest
5	the coldest	6	the funniest
7	the best	8	the most expensive

D
1 the shortest
2 cheapest
3 most
4 heaviest
5 the most interesting

UNIT 12 전치사

pp. 24~25

Point Review
- 전치사
- 앞

A
1	in	2	at
3	at	4	in
5	on	6	on
7	on	8	in

B
1	under	2	at
3	in	4	next to
5	in front of	6	behind

C
1	on the desk	2	on Friday
3	at 4 o'clock	4	behind the bench
5	under the tree		

D
1	next to	2	in front of
3	in	4	on
5	on		

UNIT 13 접속사

Point Review
- 접속사
- and, but, or, because, so

A 1 but   2 and
3 but   4 or
5 because   6 so

B 1 and   2 but
3 and   4 or
5 or   6 so
7 because

C 1 and   2 or
3 but   4 Because
5 so

D 1 old but nice
2 tall and handsome
3 a backpack or a bike
4 because she was busy
5 so we went swimming

UNIT 14 명령문과 제안문

Point Review
- Don't
- Let's, not

A 1 Study   2 Be
3 Don't   4 Don't be
5 Wash   6 Let's not

B 1 Call   2 Open
3 Be   4 Don't jump
5 Don't be   6 Let's go
7 Let's help   8 Let's not play

C 1 Don't use my phone
2 Don't listen to this song.
3 Read those books.
4 Play basketball here.
5 Let's not visit Spain.

6 Let's not drink soda.
7 Let's take a taxi.
8 Let's have lunch outside.

D 1 Be   2 Be careful
3 Play   4 Don't
5 Don't take   6 buy
7 go   8 Let's not

UNIT 15 감탄문

Point Review
- 명사
- 형용사, 부사

A 1 What   2 How
3 How   4 How
5 What   6 What

B 1 What a good doctor
2 What a fresh carrot
3 What a long tail
4 How beautifully
5 How wonderful

C 1 How   2 an
3 How   4 What
5 you talk

D 1 What a tall tree
2 What a big dog
3 What a good singer
4 What an easy question
5 How shy
6 How large
7 How carefully
8 How well

pp. 32~33

Point Review

• it

A 1 대명사   2 비인칭 주어
  3 비인칭 주어   4 비인칭 주어
  5 비인칭 주어   6 대명사
  7 비인칭 주어   8 대명사

B 1 ⓔ   2 ⓒ
  3 ⓑ   4 ⓕ
  5 ⓐ   6 ⓓ

C 1 ①   2 ①
  3 ②   4 ②
  5 ①   6 ②
  7 ①   8 ②

D 1 It is[It's] cloudy.
  2 It is[It's] Thursday.
  3 It is[It's] 5 o'clock.
  4 It is[It's] September 9.
  5 It is[It's] hot in summer.
  6 It is[It's] winter in Korea.
  7 It is[It's] dark in the theater.
  8 It is[It's] 300 meters to the park.

MEM 🐾

Grammar
CLEAR Starter 2

[동아출판

뜯어먹는  필수 영단어

뜯어먹는 초등
필수 영단어 1
400단어
40일 완성

뜯어먹는 초등
필수 영단어 2
600단어
50일 완성

초등 필수 영단어와 초등 필수 문장을 한 번에!

• 흥미롭고 다양한 활동을 통해 재미있게 영단어 학습을 할 수 있어요.
• 영단어와 초등 필수 문장을 연계하여 문장 구조를 익힐 수 있어요.
• '뜯어먹는 쓰기 노트'와 'Review Test'를 통해 체계적인 누적·반복 학습을 할 수 있어요.

초·중·고 뜯어먹는 시리즈

 초등   중등   고등

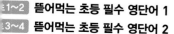

초1~2   뜯어먹는 초등 필수 영단어 1
초3~4   뜯어먹는 초등 필수 영단어 2

예비중~중1   뜯어먹는 중학 기본 영단어 1200
중1~3   뜯어먹는 중학 영단어 1800
     뜯어먹는 중학 영숙어 1000

예비고~고3   뜯어먹는 수능 1등급 기본 영단어 1800
     뜯어먹는 수능 1등급 영숙어 1200
고2~3   뜯어먹는 수능 1등급 주제별 영단어 1800

Grammar CLEAR
Starter

문장 쓰기가 쉬워지는 초등 영문법

Grammar
CLEAR Starter 2

WORKBOOK

동아출판

Grammar CLEAR Starter 2

WORKBOOK

01 be동사 과거형

Point Review
- be동사 과거형: am/is → (　　　　) are → (　　　　)
- be동사 과거형의 부정: am/is not → (　　　　　) are not → (　　　　　)

A 괄호 안에서 알맞은 것을 고르세요.

1 I (was / were) busy yesterday.

2 She (was / were) in her room.

3 It (was / is) cold last night.

4 My father (was / were) a teacher.

5 The students (was / were) very smart.

6 We (was / were) in the library yesterday.

7 You (are / were) eleven years old last year.

8 Amy and Ted (was / were) in the same club.

B 밑줄 친 be동사를 과거형으로 바꿔 문장을 완성하세요. (부정문은 줄임말로 쓸 것)

1 The house is big. → The house ____was____ big.

2 We are hungry. → We _____ hungry.

3 The test is easy. → The test _____ easy.

4 The shirt isn't dirty. → The shirt _____ dirty.

5 You aren't late for school. → You _____ late for school.

6 Is the movie sad? → _____ the movie sad?

Answers p.22

C 밑줄 친 부분을 바르게 고쳐 쓰세요. (모두 과거형으로 쓸 것)

1 My brother <u>is</u> thin last year. → ___was___

2 The shoes <u>was</u> too small. → _____

3 Ms. Jones <u>were</u> my teacher last year. → _____

4 He <u>weren't</u> tired last night. → _____

5 The girls <u>wasn't</u> here two hours ago. → _____

6 <u>Are</u> you at the park yesterday? → _____

7 <u>Was</u> the stores open? – Yes, they were. → _____

8 <u>Were</u> the river deep? – No, it wasn't. → _____

D 다음 문장을 지시대로 바꿀 때 빈칸에 알맞은 말을 쓰세요. (부정문은 줄임말로 쓸 것)

1 The soup was good. → (부정문) ___The soup wasn't___ good.

2 I was sick yesterday. → (부정문) _____ sick yesterday.

3 They were movie stars. → (부정문) _____ movie stars.

4 We were in the classroom. → (부정문) _____ in the classroom.

5 Her hair was short. → (의문문) ___Was her hair___ short?

6 You were a firefighter. → (의문문) _____ a firefighter?

7 The computer was slow. → (의문문) _____ slow?

8 Your friends were at the party. → (의문문) _____ at the party?

Point Review
• 일반동사의 과거형은 주로 동사원형에 (   )를 붙여 쓴다.
• 일반동사의 과거형은 주어의 인칭과 수에 상관없이 항상 형태가 같다.

A 주어진 동사의 과거형을 쓰세요.

	동사원형	과거형			동사원형	과거형
1	want	wanted		8	know	
2	play			9	have	
3	watch			10	stop	
4	like			11	read	
5	plan			12	sing	
6	cry			13	see	
7	come			14	run	

B 주어진 동사를 알맞은 과거형으로 바꿔 문장을 완성하세요.

1 We ____lived____ in Paris in 2017. (live)

2 I _____ this bag last week. (buy)

3 I _____ science yesterday. (study)

4 Emily _____ her bike yesterday. (ride)

5 Mr. White _____ us last year. (teach)

6 Sam _____ basketball yesterday. (play)

7 They _____ the house last month. (build)

Answers p.22

C 우리말에 맞게 보기 에서 알맞은 말을 골라 문장을 완성하세요. (필요한 경우 단어의 형태를 바꿀 것)

보기 make   wash   meet   cut   read   sleep   stop

1 Lisa는 필통을 만들었다. → Lisa ____made____ a pencil case.

2 내 남동생은 책을 읽었다. → My brother _____ a book.

3 그녀는 그 케이크를 잘랐다. → She _____ the cake.

4 그 강아지들은 침대에서 잤다. → The puppies _____ on the bed.

5 그 버스는 빨간 불에서 멈췄다. → The bus _____ at a red light.

6 나는 저녁 식사 후에 설거지를 했다. → I _____ the dishes after dinner.

7 Tom은 공원에서 그의 친구를 만났다. → Tom _____ his friend at the park.

D 밑줄 친 부분을 바르게 고쳐 쓰세요.

1 He ates some pizza last night. → ____ate____

2 She goed to the shopping mall yesterday. → _____

3 He drinked too much coffee last night. → _____

4 Dad joged before breakfast yesterday. → _____

5 He sended a letter two hours ago. → _____

6 The child drawed some pictures last night. → _____

7 Amy writes Christmas cards three days ago. → _____

8 The students cleanned the windows last week. → _____

A 괄호 안에서 알맞은 것을 고르세요.

1 The train didn't (arrive / arrives) late.

2 Tom (doesn't / didn't) watch TV last night.

3 Jenny didn't (take / took) this picture.

4 I (wasn't / didn't) know her phone number.

5 (Did / Do) you study for the test yesterday?

6 Did the children (play / played) badminton?

7 Did she (wait / waits) for her friends?

B 주어진 단어를 이용하여 문장을 완성하세요. (부정문은 줄임말로 쓸 것)

1 I ____didn't____ ____wear____ glasses last year. (not, wear)

2 We _____ _____ shopping last Friday. (not, go)

3 Dad _____ _____ his car last weekend. (not, wash)

4 ____Did____ it ____rain____ last night? (rain)

5 _____ Kevin _____ you yesterday? (call)

6 _____ your mom _____ flowers yesterday? (buy)

7 _____ they _____ at a bank three years ago? (work)

Answers p.22

C 밑줄 친 부분을 바르게 고쳐 쓰세요. (부정문은 줄임말로 쓸 것)

1 I wasn't do my homework yesterday. → _____didn't_____

2 My sister doesn't have breakfast yesterday. → _____

3 Mr. Davis doesn't buy any bread last week. → _____

4 My family and I didn't lived in Seoul last year. → _____

5 Does she go to the museum yesterday? → _____

6 Was Kate go to the bookstore last Sunday? → _____

7 Did you get up early this morning? – Yes, I do. → _____

8 Did he watch a movie after dinner? – No, he wasn't. → _____

D 다음 문장을 지시대로 바꿀 때 빈칸에 알맞은 말을 쓰세요. (부정문은 줄임말로 쓸 것)

1 They made pizza. → (부정문) ___They didn't make___ pizza.

2 I met my cousins. → (부정문) _____ my cousins.

3 He built the church. → (부정문) _____ the church.

4 Emily cleaned her room. → (부정문) _____ her room.

5 He ran to school. → (의문문) ___Did he run___ to school?

6 They saw monkeys. → (의문문) _____ monkeys?

7 Lisa opened the box. → (의문문) _____ the box?

8 You slept in the living room. → (의문문) _____ in the living room?

UNIT
04 미래를 나타내는 will

A 괄호 안에서 알맞은 것을 고르세요.

1 The doctor (will / wills) come soon.

2 My dad will (cooks / cook) dinner.

3 They will (go / went) to the concert.

4 Ted (don't will / won't) go to bed early.

5 She won't (change / changes) her plan.

6 Will your mom (arrives / arrive) tomorrow?

7 (Wills / Will) Tony see a movie tonight?

B 주어진 단어를 이용하여 미래의 일을 나타내는 문장을 완성하세요. (will을 이용할 것)

1 I ____will____ ____learn____ Chinese. (learn)

2 Jenny _____ _____ jeans. (wear)

3 She _____ _____ her shoes. (wash)

4 They _____ _____ the museum. (visit)

5 Paul _____ _____ his cousins. (invite)

6 My dad _____ _____ sandwiches. (make)

7 Amy _____ _____ her grandparents. (call)

Answers p.23

C 밑줄 친 부분을 바르게 고쳐 쓰세요.

1 I'll <u>helped</u> my parents this weekend. → ___help___

2 We will <u>going</u> swimming tomorrow. → _____

3 Mom <u>wills</u> paint the table after work. → _____

4 He will <u>cleans</u> the house this Saturday. → _____

5 I won't <u>am</u> late for school again. → _____

6 They <u>not will</u> play basketball this Saturday. → _____

7 Will Sam <u>washes</u> his bike this afternoon? → _____

D 다음 문장을 지시대로 바꿀 때 빈칸에 알맞은 말을 쓰세요. (부정문은 won't로 줄여서 쓸 것)

1 She will work tomorrow.
→ (부정문) _____She won't work_____ tomorrow.

2 I will be here tonight.
→ (부정문) _____ here tonight.

3 My uncle will leave soon.
→ (부정문) _____ soon.

4 They will meet next week.
→ (의문문) _____Will they meet_____ next week?

5 They will stay home tomorrow.
→ (의문문) _____ home tomorrow?

6 He will play soccer after school.
→ (의문문) _____ soccer after school?

05 미래를 나타내는 be going to

Point Review
- 미래를 나타내는 표현: 「will+동사원형」 또는 「(   )+동사원형」
- be going to에서 be동사는 주어에 따라 달라진다.

A 괄호 안에서 알맞은 것을 고르세요.

1 Mom is going to (make / makes) pizza.

2 I (be / am) going to buy a new phone.

3 He (will / is) going to have dinner at home.

4 Emily (won't / isn't) going to have a birthday party.

5 They (aren't / don't) going to clean the classroom.

6 (Will / Are) you going to learn yoga?

7 (Is / Are) she going to bake a lot of bread?

B 밑줄 친 동사를 be going to 표현으로 바꿔 문장을 완성하세요.

1 You are busy. → You _____are going to be_____ busy.

2 Mom works late. → Mom _____ late.

3 Ted rides his bike. → Ted _____ his bike.

4 My friends help me. → My friends _____ me.

5 My sister plays tennis. → My sister _____ tennis.

6 They buy many books. → They _____ many books.

7 Lisa and I have lunch together. → Lisa and I _____ lunch together.

C 밑줄 친 부분을 바르게 고쳐 쓰세요.

1 I <u>be</u> going to help Dad after dinner. → _____am_____

2 Kate is going <u>come</u> back next week. → _____

3 My brother and I <u>am</u> going to fly kites. → _____

4 We <u>will</u> going to meet at the bus stop. → _____

5 She <u>doesn't</u> going to play the violin today. → _____

6 <u>Will</u> he going to finish his homework soon? → _____

D 우리말에 맞게 주어진 단어를 이용하여 문장을 완성하세요. (be going to를 이용할 것)

1 그들은 우리에게 전화하지 않을 것이다. (call)

→ They _____are not going to call_____ us.

2 그녀는 오늘 밤에 공부하지 않을 것이다. (study)

→ She _____ tonight.

3 그는 영화를 볼 것이다. (see)

→ He _____ a movie.

4 그들은 한국을 방문할 예정이니? (visit)

→ _____Are_____ they _____going to visit_____ Korea?

5 너는 일찍 일어날 거니? (get up)

→ _____ you _____ early?

6 그녀는 런던을 떠날 예정이니? (leave)

→ _____ she _____ London?

- (   )+동사원형: ～할 수 있다 (능력), ～해도 된다 (허가)
- be (   ) to+동사원형: ～할 수 있다 (능력)

A 밑줄 친 can, can't의 의미로 알맞은 것을 고르세요.

1 My dog can swim well.   ① ～할 수 있다 (능력)   ② ～해도 된다 (허가)

2 You can go out now.   ① ～할 수 있다 (능력)   ② ～해도 된다 (허가)

3 Penguins can't fly.   ① ～할 수 없다 (능력)   ② ～하면 안 된다(허가)

4 We can't eat in class.   ① ～할 수 없다 (능력)   ② ～하면 안 된다 (허가)

5 Can the baby walk?   ① ～할 수 있니? (능력)   ② ～해도 될까? (허가)

6 Can I go to the concert?   ① ～해도 될까? (허가)   ② ～해 주겠니? (요청)

7 Can you wash the dishes, please?   ① ～할 수 있니? (능력)   ② ～해 주겠니? (요청)

B 괄호 안에서 알맞은 것을 고르세요.

1 The girl (can / is) able to cook pasta.

2 Jenny (cans / can) draw well.

3 My little brother can (read / reads) English.

4 Can she (ride / rides) a horse?

5 You (can not / cannot) go home now.

6 My dad (can't / doesn't can) drive a car.

7 Can I (open / opening) the window?

Answers p.23

C 밑줄 친 부분을 바르게 고쳐 쓰세요.

1 Sam <u>cans</u> sing well. → _____can_____

2 You can <u>using</u> my umbrella. → _____

3 My brother can <u>jumps</u> very high. → _____

4 John is able <u>speak</u> Korean well. → _____

5 You <u>can not</u> take pictures here. → _____

6 We can't <u>are</u> late for class again. → _____

7 Can Emily <u>makes</u> cookies? → _____

8 Can I <u>borrowed</u> your notebook? → _____

D 다음 문장을 지시대로 바꿀 때 빈칸에 알맞은 말을 쓰세요. (부정문은 줄임말로 쓸 것)

1 They can help us. → (부정문) ___They can't help___ us.

2 Lisa can play the piano. → (부정문) _____ the piano.

3 I can answer this question. → (부정문) _____ this question.

4 You can wear my T-shirt. → (부정문) _____ my T-shirt.

5 She can play golf. → (의문문) ___Can she play___ golf?

6 Ted can dance well. → (의문문) _____ well?

7 He can ride this bike. → (의문문) _____ this bike?

8 You can open the door. → (의문문) _____ the door?

UNIT 07 조동사 must, have to

Point Review
- (　　　　　)+동사원형: ~해야 한다 (의무), ~임에 틀림없다 (추측)
- (　　　　) (　　　　)+동사원형: ~해야 한다 (의무)

A 밑줄 친 부분의 의미로 알맞은 것을 고르세요.

1 He <u>must</u> be from India.　　① ~해야 한다　　② ~임에 틀림없다

2 I <u>must</u> get up early tomorrow.　　① ~해야 한다　　② ~임에 틀림없다

3 The story <u>must</u> be true.　　① ~해야 한다　　② ~임에 틀림없다

4 You <u>must not</u> lie.　　① ~하면 안 된다　　② ~할 필요가 없다

5 You <u>don't have to</u> buy a pencil.　　① ~하면 안 된다　　② ~할 필요가 없다

6 We <u>must not</u> cook here.　　① ~하면 안 된다　　② ~할 필요가 없다

7 She <u>doesn't have to</u> wait for him.　　① ~하면 안 된다　　② ~할 필요가 없다

B 괄호 안에서 알맞은 것을 고르세요.

1 We must (has / have) breakfast.

2 She (must / has) to drive carefully.

3 I have (do / to do) my homework now.

4 You must (be / are) quiet in the library.

5 You (must / have to) not swim in the sea.

6 She must not (drink / drinks) much coffee.

7 You (don't / must not) have to go to school today.

Answers p.24

C 밑줄 친 부분을 바르게 고쳐 쓰세요.

1 Your dog must <u>is</u> smart. → _____be_____

2 I must <u>to help</u> my friends. → _____

3 He must <u>finishes</u> this today. → _____

4 You don't have to <u>working</u> on weekends. → _____

5 The man <u>musts</u> be a police officer. → _____

6 He <u>have to</u> wash the dishes after dinner. → _____

7 She <u>don't</u> have to clean her room every day. → _____

D 우리말에 맞게 주어진 단어를 이용하여 문장을 완성하세요.

1 우리는 여기에 머물러야 한다. (must, stay)

→ _____We must stay_____ here.

2 너는 버스에서 음식을 먹으면 안 된다. (must, eat)

→ _____ food on the bus.

3 우리는 도서관에서 조용히 해야 한다. (have to, be)

→ _____ quiet in the library.

4 너는 창문을 닦을 필요가 없다. (have to, clean)

→ _____ the windows.

5 그녀는 컴퓨터를 살 필요가 없다. (have to, buy)

→ _____ a computer.

08 의문사 1

- '누구, 언제, 어디서, 무엇을, 어떻게, 왜' 등에 대한 정보를 묻는 말: (   )
- 누구, 누구를: (   ) / 무엇, 무엇을: (   )

A 질문에 대한 대답을 보고 빈칸에 알맞은 의문사 who 또는 what을 쓰세요.

1 A ___What___ is that?   B It's a kangaroo.

2 A _____ is the girl?   B She's my cousin, Amy.

3 A _____ does he like?   B He likes Kate.

4 A _____ is your math teacher?   B Ms. Jones is my math teacher.

5 A _____ do you want for lunch?   B I want spaghetti.

6 A _____ do you have in your bag?   B I have some books.

B 괄호 안에서 알맞은 것을 고르세요.

1 What (is / are) those?

2 Who (is / are) the boy?

3 What (is / are) his nickname?

4 What (do / does) Kevin want?

5 Who (do / does) you like in your class?

6 (Who / What) sport do you like?

7 (Who / What) is his favorite subject?

8 (Who / What) sport does he like?

C 우리말에 맞게 문장을 완성하세요.

1 너는 **누구**니? → ___Who___ ___are___ you?

2 너의 전화번호는 **무엇**이니? → _____ _____ your phone number?

3 **누가** Emily의 부모님이시니? → _____ _____ Emily's parents?

4 Ted가 제일 좋아하는 작가는 **누구**니? → _____ _____ Ted's favorite writer?

5 그들은 주말에 **무엇을** 요리하니? → _____ _____ they cook on weekends?

6 너는 **누구를** 가장 사랑하니? → _____ _____ you love most?

7 Jenny는 방과 후에 **무엇을** 하니? → _____ _____ Jenny do after school?

8 그는 대학에서 **무엇을** 공부하니? → _____ _____ he study at university?

D 우리말에 맞게 주어진 단어를 바르게 배열하여 문장을 완성하세요.

1 너의 가장 친한 친구는 누구니? (is, your best friend, Who)
→ ___Who is your best friend?___

2 그들은 무엇이 필요하니? (need, they, What, do)
→ _____

3 너는 어떤 색깔을 좋아하니? (do, you, What color, like)
→ _____

4 Tom은 누구를 만나니? (meet, Who, Tom, does)
→ _____

5 네가 가장 좋아하는 영화는 무엇이니? (your favorite movie, is, What)
→ _____

Point Review

- 의문사를 사용하여 물을 때 시간이나 날짜는 (   ), 장소나 위치는 (   ), 이유나 원인은 (   ), 상태나 방법, 수단을 물을 때는 (   )를 쓴다.
- 나이, 기간, 거리, 가격 등을 물을 때는 「(   )+형용사/부사」를 쓴다.

A 우리말에 맞게 괄호 안에서 알맞은 것을 고르세요.

1 그녀는 언제 잠자리에 드니? → (When / Where) does she go to bed?

2 그곳 날씨는 어떠니? → (Why / How) is the weather there?

3 Tom은 어떻게 지내니? → (Why / How) is Tom doing?

4 그 박물관은 어디에 있니? → (When / Where) is the museum?

5 너의 이모는 어디에 사시니? → (When / Where) does your aunt live?

6 너는 그 가수를 왜 좋아하니? → (Why / How) do you like the singer?

B 질문에 대한 대답을 보고 보기 에서 알맞은 말을 골라 질문을 완성하세요.
(한 단어를 여러 번 사용 가능)

보기	Where	When	Why	How

1 A ____Where____ does she live? B She lives in Paris.

2 A _____ is Amy's birthday? B It's May 8.

3 A _____ is Mr. Davis from? B He is from Australia.

4 A _____ do you like science? B Because it is interesting.

5 A _____ does she go to work? B She goes to work by subway.

6 A _____ is Sam always late for class? B Because he gets up late.

Answers p.24

C 질문에 대한 대답을 보고 보기 에서 알맞은 말을 골라 문장을 완성하세요.

보기	~~How often~~	How old	How tall	How long
	How far	How many	How much	

1 A ___How___ ___often___ does he play soccer?   **B** Three times a week.

2 A _____ _____ is the bank from here?   **B** It's 500 meters from here.

3 A _____ _____ is his father?   **B** He's 42 years old.

4 A _____ _____ are those pants?   **B** They're 25 dollars.

5 A _____ _____ sisters do you have?   **B** I have two sisters.

6 A _____ _____ is your brother?   **B** He's 168 cm tall.

7 A _____ _____ did they stay in Seoul?   **B** For a month.

D 우리말에 맞게 주어진 단어를 바르게 배열하여 문장을 완성하세요.

1 그 배우는 왜 인기 있니? (Why, the actor, is)

→ _____Why is the actor_____ popular?

2 너는 그 배낭을 어디서 샀니? (did, buy, you, Where)

→ _____ the backpack?

3 그 경기는 언제 시작하니? (does, When, the game)

→ _____ start?

4 너는 이 주스를 어떻게 만들었니? (make, did, you, How)

→ _____ this juice?

5 그녀는 달걀 몇 개를 원하니? (eggs, How many, does)

→ _____ she want?

10 비교급

- A＋비교급＋(　　　　　　)＋B : A가 B보다 더 ～한/하게
- 비교급은 형용사나 부사의 끝에 (-er / -est)를 붙이거나, 형용사나 부사 앞에 (more / most)를 써서 만든다.

A 주어진 형용사나 부사의 비교급을 쓰세요.

		비교급
1	strong	stronger
2	nice	
3	lazy	
4	hot	
5	bad	
6	slowly	
7	beautiful	

		비교급
8	young	
9	wide	
10	pretty	
11	well	
12	many / much	
13	dangerous	
14	delicious	

B 괄호 안에서 알맞은 것을 고르세요.

1 Ted runs (faster / fast) than his brother.

2 Kevin is (popularer / more popular) than Sam.

3 This apple is (sweet / sweeter) than that apple.

4 Her hair is (more longer / longer) than my hair.

5 Yesterday was (colder than / than colder) today.

6 The library is (bigger / biger) than the museum.

7 History is (interesting / more interesting) than science.

Answers p.25

C 주어진 단어를 이용하여 비교급 문장을 완성하세요.

1 Emily swims ___better___ ___than___ John. (well)

2 Your room is _____ _____ my room. (small)

3 His smartphone is _____ _____ Kevin's. (thin)

4 Mom drives _____ _____ _____ Dad. (carefully)

5 This actor is _____ _____ _____ that actor. (famous)

6 These flowers are _____ _____ those flowers. (pretty)

7 Math is _____ _____ _____ English for me. (difficult)

8 She drinks _____ soda _____ him. (much)

D 주어진 정보를 보고 괄호 안의 단어를 이용하여 비교급 문장을 완성하세요.

1 Mark: 13살, Julie: 12살
→ Mark is ___older___ ___than___ Julie. (old)

2 Mark: 150 cm, Tony: 155 cm
→ Mark is _____ _____ Tony. (short)

3 오늘의 기온: 30℃, 어제의 기온: 28℃
→ Today is _____ _____ yesterday. (hot)

4 영어 점수: 60점, 과학 점수: 80점
→ My English score is _____ _____ my science score. (bad)

5 펜: $3, 연필: $2
→ The pen is _____ _____ the pencil. (expensive)

- A＋the＋최상급＋in / of＋B : A가 B 중에서 가장 ～한 / 하게
- 최상급은 형용사나 부사의 끝에 (-er / -est)를 붙여 만들거나, 형용사나 부사 앞에 (more / most)를 써서 만든다.

A 주어진 형용사나 부사의 최상급을 쓰세요.

		최상급				최상급
1	long	longest		8	young	
2	safe			9	wide	
3	strong			10	good	
4	lazy			11	happy	
5	famous			12	bad	
6	many / much			13	easily	
7	useful			14	difficult	

B 괄호 안에서 알맞은 것을 고르세요.

1 Amy is (tallest / the tallest) on her team.

2 Monday is the (busy / busiest) day of the week.

3 She has the (many / most) books of her friends.

4 This is the (oldest / older) building in the world.

5 That is the (slowest / most slowest) train of the three.

6 The black horse runs the (fastest / most fast) of them.

7 Kevin is the (most popular / popularest) boy in his school.

C 주어진 단어를 이용하여 최상급 문장을 완성하세요.

1 Jenny reads ___the___ ___fastest___ of us. (fast)

2 Today is _____ _____ day of my life. (sad)

3 That is _____ _____ tree in our village. (tall)

4 This problem is _____ _____ of them. (easy)

5 January is _____ _____ month of the year. (cold)

6 This is _____ _____ movie of the three. (funny)

7 Kate speaks Korean _____ _____ in her family. (well)

8 This computer is _____ _____ _____ in this store. (expensive)

D 우리말에 맞게 밑줄 친 부분을 바르게 고쳐 쓰세요.

1 나는 우리 가족 중에 키가 **제일 작다**.
I am <u>shorter</u> in my family. → ___the shortest___

2 저것이 이 가게에서 **가장 값이 싼** 자전거이다.
That is the <u>cheap</u> bike in this store. → _____

3 그 도서관은 우리나라에서 **가장 많은** 책을 가지고 있다.
The library has the <u>many</u> books in my country. → _____

4 그 돼지가 그 농장에서 **가장 무겁다**.
The pig is the <u>most heavy</u> on the farm. → _____

5 수학이 셋 중에서 **가장 재미있는** 과목이다.
Math is <u>more interesting</u> subject of the three. → _____

Point Review
- 위치/장소, 시간 등을 나타낼 때 쓰는 말: (   )
- 전치사는 명사나 대명사의 (앞 / 뒤)에 쓴다.

A 괄호 안에서 알맞은 것을 고르세요.

1 We visited Spain (in / at) 2018.

2 Tom watches TV (in / at) night.

3 The class starts (at / on) 10 a.m.

4 He will leave (in / on) September.

5 There is a picture (at / on) the wall.

6 I will have a piano lesson (in / on) Wednesday.

7 My cousins visit me (at / on) Christmas Day.

8 Two pianos are (in / on) the living room.

B 우리말에 맞게 보기 에서 알맞은 말을 골라 문장을 완성하세요.

보기   ~~under~~   in front of   in   behind   next to   at

1 의자 아래에 공이 있다.   → There is a ball ____under____ the chair.

2 그 영화는 5시에 끝난다.   → The movie ends _____ five o'clock.

3 방 안에 소녀 두 명이 있다.   → There are two girls _____ the room.

4 John은 내 옆에 앉아 있다.   → John is sitting _____ me.

5 우리는 은행 앞에서 만났다.   → We met _____ the bank.

6 고양이 한 마리가 담장 뒤에 있다.   → A cat is _____ the fence.

Answers p.25

C 우리말에 맞게 주어진 단어와 알맞은 전치사를 이용하여 문장을 완성하세요.

1 내 안경은 **책상 위에** 있다. (the desk)

→ My glasses are _____ on the desk _____ .

2 그들은 **금요일에** 만날 것이다. (Friday)

→ They will meet _____ .

3 우리는 **4시에** 수업을 마친다. (4 o'clock)

→ We finish school _____ .

4 네 자전거는 **벤치 뒤에** 있다. (the bench)

→ Your bike is _____ .

5 그 개는 **나무 아래에서** 자고 있다. (the tree)

→ The dog is sleeping _____ .

D 우리말에 맞게 밑줄 친 부분을 바르게 고쳐 쓰세요.

1 그 건물은 도서관 **옆에** 있다.

The building is <u>next</u> the library. → _____ next to _____

2 어떤 차가 우리 집 **앞에** 있다.

A car is <u>in front</u> my house. → _____

3 그녀의 가족은 2015년에 캐나다에 갔다.

Her family went to Canada <u>on</u> 2015. → _____

4 벽에 그림이 세 개 있다.

There are three paintings <u>in</u> the wall. → _____

5 우리는 어린이날에 영화를 보러 갈 것이다.

We will go to the movies <u>at</u> Children's Day. → _____

13 접속사

> **Point Review**
> - 단어와 단어, 문장과 문장을 연결해 주는 말: (   )
> - 접속사의 종류: 그리고(   ), 그러나(   ), 또는(   ),
>   ∼ 때문에(   ), ∼해서(   )

A 괄호 안에서 알맞은 것을 고르세요.

1 This car is old (but / or) fast.

2 It is sunny (and / but) warm today.

3 My baby brother is young (or / but) smart.

4 I will go shopping, (or / so) I will go to the movies.

5 He went to bed early (so / because) he was tired.

6 I don't have money, (so / because) I can't buy this book.

B 우리말에 맞게 보기 에서 알맞은 말을 골라 문장을 완성하세요. (한 단어를 여러 번 사용 가능)

보기	and	but	or	because	so

1 Tom과 Ben은 형제이다. → Tom _____and_____ Ben are brothers.

2 그 음식은 맛있었지만 비쌌다. → The food was delicious _____ expensive.

3 그녀는 축구와 농구를 좋아한다. → She likes soccer _____ basketball.

4 그는 우유나 주스를 마실 것이다. → He will drink milk _____ juice.

5 나는 아침 식사로 빵이나 밥을 먹는다. → I eat bread _____ rice for breakfast.

6 비가 와서 그녀는 집에 머물렀다. → It rained, _____ she stayed home.

7 그는 아프기 때문에 일을 할 수 없다. → He can't work _____ he is sick.

Answers p.26

C 우리말에 맞게 밑줄 친 부분을 바르게 고쳐 쓰세요.

1 그 공원은 **아름답고** 깨끗하다.

The park is beautiful <u>but</u> clean. → _____ and _____

2 John은 **연필이나** 펜이 필요하다.

John needs a pencil <u>but</u> a pen. → _____

3 Amy는 노래는 잘 **부르지만** 춤은 잘 못 춘다.

Amy sings well, <u>and</u> she can't dance well. → _____

4 그는 시험에 통과했기 **때문에** 기뻤다.

<u>So</u> he passed the test, he was happy. → _____

5 그 상자는 너무 **무거워서** 내가 옮길 수 없다.

The box is too heavy, <u>because</u> I can't move it. → _____

D 우리말에 맞게 주어진 단어를 바르게 배열하여 문장을 완성하세요.

1 이 재킷은 **오래되었지만 멋지다.** (but, nice, old)

→ This jacket is _____ old but nice _____ .

2 그 배우는 **키가 크고 잘생겼다.** (handsome, tall, and)

→ The actor is _____ .

3 나는 생일 선물로 **배낭이나 자전거를** 원한다. (a backpack, a bike, or)

→ I want _____ for my birthday.

4 그녀는 **바빴기 때문에** 점심을 먹지 않았다. (busy, she, was, because)

→ She didn't have lunch _____ .

5 날씨가 너무 **더워서** 우리는 수영하러 갔다. (went, we, swimming, so)

→ It was very hot, _____ .

- 긍정 명령문: 동사원형 ~.   부정 명령문: ( )+동사원형 ~.
- 긍정 제안문: ( )+동사원형 ~.   부정 제안문: Let's ( )+동사원형 ~.

A 괄호 안에서 알맞은 것을 고르세요.

1 (Study / Studies) hard for the test.

2 (Are / Be) kind to your brother.

3 (Don't / Not) eat fast food.

4 (Be not / Don't be) late for the party.

5 (Wash / Washed) your hands before lunch.

6 (Let's not / Not let's) take the subway.

B 우리말에 맞게 주어진 단어를 이용하여 문장을 완성하세요.

1 지금 할머니께 **전화 드려라**. (call)   →   _____Call_____ your grandma now.

2 창문을 **열어 주세요**. (open)   →   _____ the window, please.

3 버스에서 **조용히 해라**. (be)   →   _____ quiet on the bus.

4 침대 위에서 **뛰지 마라**. (jump)   →   _____ on the bed.

5 **화내지 마라**. (be)   →   _____ angry.

6 이번 주말에 캠핑 **가자**. (go)   →   _____ camping this weekend.

7 다른 사람들을 **돕자**. (help)   →   _____ others.

8 컴퓨터 게임을 하지 말자. (play)   →   _____ computer games.

Answers p.26

C 다음 문장을 지시대로 바꿔 쓰세요.

1 Use my phone. → (부정문) _____ Don't use my phone. _____

2 Listen to this song. → (부정문) _____

3 Don't read those books. → (긍정문) _____

4 Don't play basketball here. → (긍정문) _____

5 Let's visit Spain. → (부정문) _____

6 Let's drink soda. → (부정문) _____

7 Let's not take a taxi. → (긍정문) _____

8 Let's not have lunch outside. → (긍정문) _____

D 우리말에 맞게 밑줄 친 부분을 바르게 고쳐 쓰세요.

1 좋은 친구가 되어라. Are a good friend. → _____ Be _____

2 도로에서 조심해라. Careful on the roads. → _____

3 피아노를 쳐라. Plays the piano. → _____

4 너무 시끄럽게 하지 마라. Not make too much noise. → _____

5 여기서 사진을 찍지 마라. Take pictures here. → _____

6 저 케이크를 사자. Let's buying that cake. → _____

7 일찍 잠자리에 들자. Let's goes to bed early. → _____

8 그 동아리에 가입하지 말자. Let's don't join the club. → _____

UNIT

15 감탄문

Point Review

- What 감탄문: What+a/an+형용사+(   )+(주어+동사)!
- How 감탄문: How+(/   )(+주어+동사)!

A 빈칸에 What 또는 How를 써서 감탄문을 완성하세요.

1 그것은 정말 귀여운 고양이구나! → _____What_____ a cute cat it is!

2 그 오렌지는 정말 달콤하구나! → _____ sweet the orange is!

3 그 영화는 정말 재미있구나! → _____ funny the movie is!

4 그 아기는 정말 잘 걷는구나! → _____ well the baby walks!

5 그것은 정말 큰 햄버거구나! → _____ a big hamburger it is!

6 그것은 정말 비싼 재킷이구나! → _____ an expensive jacket it is!

B 우리말에 맞게 주어진 단어를 바르게 배열하여 문장을 완성하세요.

1 그녀는 정말 훌륭한 의사구나! (good, a, doctor, What)

→ _____What a good doctor_____ she is!

2 그것은 정말 신선한 당근이구나! (carrot, a, What, fresh)

→ _____ it is!

3 그 원숭이는 정말 긴 꼬리를 가지고 있구나! (tail, long, What, a)

→ _____ the monkey has!

4 그는 정말 아름답게 노래하는구나! (beautifully, How)

→ _____ he sings!

5 날씨가 정말 좋구나! (wonderful, How)

→ _____ the weather is!

Answers p.26

C 우리말에 맞게 밑줄 친 부분을 바르게 고쳐 쓰세요.

1 그 새는 정말 높이 나는구나!

What high the bird flies! → _____How_____

2 그것은 정말 오래된 컴퓨터구나!

What a old computer it is! → _____

3 이 전화기는 정말 싸구나!

What cheap this phone is! → _____

4 그것은 정말 맛있는 샌드위치구나!

How a delicious sandwich it is! → _____

5 너는 정말 크게 말하는구나!

How loudly talk you! → _____

D 다음 문장을 주어진 단어로 시작하는 감탄문으로 바꿀 때 빈칸에 알맞은 말을 쓰세요.

1 It is a really tall tree. (What) → _____What a tall tree_____ it is!

2 You have a very big dog. (What) → _____ you have!

3 She is a very good singer. (What) → _____ she is!

4 It is an easy question. (What) → _____ it is!

5 The boy is very shy. (How) → _____ the boy is!

6 The farm is very large. (How) → _____ the farm is!

7 He drives very carefully. (How) → _____ he drives!

8 She plays the piano very well. (How) → _____ she plays the piano!

• 시각, 요일, 날씨 등을 나타내는 문장에서 주어로 쓰이는 말: 비인칭 주어 (   )
• 비인칭 주어 it은 '그것'이라고 해석하지 않는다.

A 밑줄 친 It이 대명사인지 비인칭 주어인지 체크(✔)하세요.

		대명사	비인칭 주어
1	It is my pen.	✔	
2	It is Saturday.		
3	It is August 9.		
4	It is raining outside.		
5	It is 11 o'clock now.		
6	It is a funny movie.		
7	It was very hot yesterday.		
8	It is the most popular book now.		

B 질문과 대답을 바르게 연결하세요.

1 What time is it? •   • ⓐ It is windy.

2 What day is it? •   • ⓑ It is spring.

3 What season is it now? •   • ⓒ It is Friday.

4 How far is it? •   • ⓓ It is May 8.

5 How's the weather? •   • ⓔ It is 7 o'clock.

6 What's the date today? •   • ⓕ It is 5 km from here.

Answers p.27

C 우리말을 영어로 바르게 옮긴 것을 고르세요.

1 월요일이야.
① It is Monday. ② That is Monday.

2 지금 오후 4시야.
① It is 4 p.m. now. ② They are 4 p.m. now.

3 바깥은 어두워.
① Its dark outside. ② It's dark outside.

4 화창해.
① This is sunny. ② It is sunny.

5 한국은 가을이야.
① It's fall in Korea. ② That's fall in Korea.

6 내 생일이야.
① I am a birthday. ② It is my birthday.

7 얼마나 머니?
① How far is it? ② How far is that?

8 무슨 요일이니?
① What date is it? ② What day is it?

D 주어진 단어와 비인칭 주어를 이용하여 우리말을 영어로 옮기세요.

1 흐리다. (cloudy)
→ It is cloudy.

2 목요일이다. (Thursday)
→ _____

3 5시 정각이다. (5 o'clock)
→ _____

4 9월 9일이다. (September 9)
→ _____

5 여름에는 덥다. (hot, in summer)
→ _____

6 한국은 겨울이다. (winter, in Korea)
→ _____

7 극장 안은 어둡다. (dark, in the theater)
→ _____

8 공원까지 300미터이다. (300 meters, to the park) → _____

MEMO

MEM🐾

Grammar
CLEAR Starter 2